CIVILIZACIÓN DIGITAL Y
PEDAGOGÍAS EMERGENTES
A PARTIR DE LAS NUEVAS TECNOLOGÍAS

— Colección Comunicación y Pensamiento —

Civilización Digital y Pedagogías Emergentes a partir de las Nuevas Tecnologías

Coordinadores

Ismael Cabero Fayos
Marc Pallarès Piquer

Autores
(por orden de aparición)

Ismael Cabero Fayos
Marc Pallarès Piquer
Baltasar Ortega Bort
María Carmen Muñoz Escalada
Juan Diego Hernández Albarracín
Jose Joan Garavito Patiño
Ricardo Alexis Torrado Vargas
Ana Tirado de la Chica
Antonio Merchán Murillo
Pablo Martín Ramallal
Jesse Nery Filho
Andersen Caribé de Oliveira
María Luisa Notario Rocha

EGREGIUS
ediciones

Esta publicación ha recibido una ayuda del VI Plan Propio de investigación y Transferencia de la Universidad de Sevilla. 2019. Resolución de la Comisión de Investigación de fecha 29 de abril de 2019 por la que se resuelve la convocatoria de Ayudas para Organizar Congresos y Reuniones Científicas con Proyección Internacional. (III.2).

Referencia: VIPPIT-2019-III.2.

CIVILIZACIÓN DIGITAL Y PEDAGOGÍAS EMERGENTES
A PARTIR DE LAS NUEVAS TECNOLOGÍAS

Ediciones Egregius

www.egregius.es

Diseño de cubierta e interior: Francisco Anaya Benitez

© Los autores

1ª Edición. 2019

ISBN 978-84-17270-93-3

Colección:
Comunicación y Pensamiento

Los fenómenos de la comunicación invaden todos los aspectos de la vida cotidiana, el acontecer contemporáneo es imposible de comprender sin la perspectiva de la comunicación, desde su más diversos ámbitos. En esta colección se reúnen trabajos académicos de distintas disciplinas y materias científicas que tienen como elemento común la comunicación y el pensamiento, pensar la comunicación, reflexionar para comprender el mundo actual y elaborar propuestas que repercutan en el desarrollo social y democrático de nuestras sociedades.

La colección reúne una gran cantidad de trabajos procedentes de muy distintas partes del planeta, un esfuerzo conjunto de profesores investigadores de universidades e instituciones de reconocido prestigio. Todo esto es posible gracias a la labor y al compromiso de los coordinadores de cada uno de los monográficos que conforman este acervo.

Editora científica
Rosalba Mancinas-Chávez

Editor técnico
Francisco Anaya Benítez

Consejo editorial

Ramón Reig (*Universidad de Sevilla*)
José Ignacio Aguaded Gómez (*Universidad de Huelva, España*)
Ma. del Mar Ramírez Alvarado (*Universidad de Sevilla, España*)
Augusto David Beltrán Poot (*Universidad Autónoma de Yucatán, México*)
Rafael Marfil Carmona (*Universidad de Granada*)
Amor Pérez Rodríguez (*Universidad de Huelva*)
Carmen Marta-Lazo (*Universidad de Zaragoza*)
Gloria Olivia Rodríguez Garay (*Universidad Autónoma de Ciudad Juárez, México*)
Mª. Ángeles Martínez (*Universidad de Sevilla, España*)
Marta Pulido (*Universidad de Sevilla, España*)
Martha Elena Cuevas Gómez (*Universidad Juárez Autónoma de Tabasco, México*)
Martha Patricia Álvarez Chávez (*Universidad Autónoma de Ciudad Juárez, México*)

Edita:

EGREGIUS
ediciones

ÍNDICE

INTRODUCCIÓN

Aunque los medios de comunicación y las nuevas tecnologías no se crearon con finalidades específicas para el ámbito de la enseñanza, es incuestionable la capacidad formativa que poseen; la admiración que ejercen en la sociedad es abrumadora, y su influencia en jóvenes y adolescentes es, si cabe, mayor. En este contexto, la difusión de conocimiento se encuentra integrada a una evolución frenética, y a menudo se ve condicionada por cambios de rumbo relacionados con multitud de informaciones y de nuevos conocimientos, que provienen de las tecnologías de la información y de la comunicación, principalmente.

A la estela de todo ello, en algunos centros escolares tal vez no se han llegado a desarrollar todas las potencialidades de las TIC, por eso se hace necesario proponer que la acción educativa apueste por la utilización pedagógica de estas TIC. Todavía hay una parte del profesorado que se encuentra en una dualidad contradictoria, en la que la utilización habitual, en su vida personal y cotidiana, de las nuevas tecnologías no se encuentra en consonancia con la metodología utilizada en algunas de sus clases, donde el uso de metodologías tradicionales sigue manteniéndose en exceso.

En cierta manera, en este libro que tienen en sus manos se promueve que la capacidad comunicativa de las nuevas tecnologías, si se aplica a la acción docente a partir de una base pedagógica rigurosa y meditada, estimula y motiva el pensamiento entre los discentes.

Con todo este conjunto de premisas dentro de nuestros presupuestos pedagógicos, y con la intención de presentar un espacio donde mostrar y debatir nuevas propuestas e innovaciones pedagógicas, propusimos un Simposio enmarcado en el IV Congreso Internacional Comunicación y Pensamiento, bajo el tema general «La Comunicación Emergente», en la Facultad de Comunicación de la Universidad de Sevilla.

Uno de las consecuencias de este Simposio es el presente libro, en el que se ven reflejadas apuestas pedagógicas relevantes, que pueden ayudar a desarrollar y concretar conocimientos aplicados y comprometidos con la práctica educativa.

En el primer capítulo Marc Pallarès Piquer (Universidad Jaume I de Castellón) e Ismael Cabero Fayos (Universidad internacional de La Rioja) argumentan que una revolución como la tecnológica se implementa en función de instrumentos y recursos, pero también se lleva a cabo a partir de una determinada manera de usar toda esta amalgama de recursos. Explican que es una revolución que está condicionada por un conjunto de posicionamientos sociales y por un entorno comunicacional que termina (re)creando un contexto en el que hay una serie de intereses que impulsan la dinámica tecnológico-sociológica hacia un horizonte o hacia otro.

A continuación, con la mirada puesta en la implementación de software libre y con el objetivo de presentar una experiencia que incrementa la motivación y la asimilación de las potencialidades de las nuevas tecnologías en el alumnado, Baltasar Ortega Bort y María Carmen Muñoz Escalada, profesores de la Universidad Internacional de la Rioja, presentan tres aplicaciones educativas libres relacionadas con las ciencias, el Proyecto KDE y la mejora en el proceso de enseñanza y aprendizaje que estas aplicaciones pueden impulsar.

Por otra parte, desde la Universidad Simón Bolívar de Colombia, Juan Diego Hernández Albarracín, José Joan Garavito Patiño y Ricardo Alexis Torrado Vargas, discuten las implicaciones filosóficas y pedagógicas que propician los entornos digitales en el marco de un ejercicio crítico; lo hacen en base a la relación contemporánea entre el sujeto, las redes sociales y la pedagogía, a partir de la aplicación Twitter.

Siguiendo con otra propuesta motivadora, esta vez utilizando la aplicación didáctica de los videos de youtubers en el aula, nos muestra como contribuyen a la motivación y al aumento de la atención de los discentes hacia el contenido curricular. Desde la Universidad de Jaen, Ana Tirado de la Chica nos presenta el cuarto capítulo.

El quinto capítulo, presentado por Antonio Merchán Murillo y Pablo Martín Ramallal del Centro Universitario San Isidoro (Centro Adscrito a la Universidad Pablo de Olavide) presenta un análisis pormenorizado del aprendizaje ubicuo, etiquetado como u-learning, mostrando una visión práctica de cómo funciona el medio y también de los retos que se presentan.

En el siguiente capítulo se analizan las posibilidades pedagógicas y se describe la experiencia del uso de un juego digital focalizado en la historia del antiguo Egipto y su interacción con los estudiantes de Brasil. Este texto está presentado por Jesse Nery Filho y Andersen Caribé de Oliveira de la Universidad de Aveiro (Portugal) y el Instituto Federal Baiano (Brasil) Además se estudian las interacciones de los adolescentes con el juego, así como la adquisición de conocimiento a través de su uso en el aula.

Por último, María Luisa Notario Rocha, del Centro Universitario San Isidoro (adscrito a la Universidad Pablo de Olavide) propone, cimentándose en la adquisición de competencias, una práctica educativa a partir de la segmentación del aula, basándose en las conductas diarias vinculadas a rutinas comunicacionales de los estudiantes. A partir de la introducción de herramientas digitales, consiguen que se produzcan experiencias positivas que facilitan el aprendizaje y que conectan directamente con los intereses del alumnado.

Deseamos que este libro ayude a ampliar los conocimientos en la aplicación pedagógica de las TIC y que pueda servir para incentivar el uso y aprovechamiento de las inmensas capacidades que nos ofrecen las distintas herramientas tecnológicas, ya que, como podrán comprobar a lo largo del libro, los medios de comunicación y tecnológicos son un eje de formación eficaz para que el alumnado, ciudadanía del presente y del futuro, pueda asumir los desafíos que la sociedad de la información y la comunicación le planteará a lo largo de su vida.

Aceptar la promoción de los procedimientos tecnológicos en el ámbito educativo es, por una parte, un presupuesto curricular, pero, por otra, también es una cuestión organizativa, por eso se hace necesario que el lector se aleje de concebir la presencia de la tecnología audiovisual como un factor diferencial. A fin de cuentas, las pretensiones de cambio y de mejora (en este caso, en las acciones escolares) no residen siempre en las propias entidades sino en las acciones prácticas que se desarrollan, que son las que nos permiten hacer referencia a las propuestas que, a fin de dar cuenta de unas realidades sociológicas cambiantes, tienen la capacidad de optimizar algún ámbito de nuestra sociedad.

Dr. Ismael Cabero Fayos
Universidad internacional de La Rioja, España

CAPÍTULO I

AVANCES Y RETOS EN LA IMPLANTACIÓN DE LAS NUEVAS TECNOLOGÍAS

Dr. Ismael Cabero Fayos

Universidad internacional de La Rioja, España

Dr. Marc Pallarès Piquer

Universidad Jaume I de Castelló, España

Las tecnologías han cambiado nuestro universo cotidiano y han irrumpido en el mundo de la educación. La revolución tecnológica nos ha proporcionado un acceso ilimitado a ingentes cantidades de información, ha transformado la educación, ha planteado nuevos retos y ha obligado a revisar métodos y estrategias para responder a los desafíos actuales.

Las nuevas tecnologías se encuentran cada vez más incorporadas a las distintas formas de conocimiento, a las prácticas, a las habilidades y a las estrategias metodológicas del campo educativo, insertadas en situaciones emergentes de aprendizaje que adquieren diferentes formas y que están empezando a imponer unas nuevas maneras de pensar y de actuar en los niños y los jóvenes. Además, el imparable interés por descifrar "la cualidad del sujeto integrado en interacciones múltiples y diversos procesos sociales, lejos de definir lo que le ocurre al sujeto en términos puramente biológicos" (Ballester y Colom, 2017: 7), lo que realmente provoca es un paradigma sociocultural (y sociotecnológico) en el que parece ya poco probable que la ciudadanía pueda vivir al margen de las nuevas tecnologías.

A la estela de todo ello, las prácticas escolares hoy necesitan planificar situaciones que doten de sentido a las vinculaciones, datos, experiencias y a las informaciones que provienen de los nuevos espacios y recursos. Aun así, implantar dispositivos tecnológicos en las aulas y adecuarlos a las redes informáticas y de comunicación ha sido un proceso complejo en las dos últimas décadas; incluso ha condicionado ciertas formas de pensamiento referidas a la educación, y también acerca del futuro de la misma, en una época en la que la digitalización no parece tener marcha atrás y en la que las constantes reestructuraciones de la práctica educativa (y sus habituales debates sobre cómo implementarla, entenderla y ponerla en práctica) han ido confluyendo con las vías emergentes de concebir y encajar la introducción de las nuevas tecnologías.

En este contexto, el "aprender y saber" de antaño ha ido dejando paso a un "hacer para poder" (esto es, para aprender con las nuevas tecnologías, aunque no "solo" mediante ellas) en el que la pedagogía está proponiendo una nueva cultura del aprendizaje, consecuencia de la aplicación de unas tecnologías emergentes que, de una forma u otra, están reestructurando la docencia. Esto implica que, en el día a día de un centro escolar, los materiales educativos digitales, el modelo pedagógico que subyace en los mismos, las representaciones latentes en los diferentes agentes educativos, la utilización de las nuevas tecnologías y el impacto que provocan se erijan, así, en elementos fundamentales.

De todo ello van a ocuparse las distintas experiencias y/o propuestas que conforman los capítulos de este libro.

Una revolución como la tecnológica se instaura a partir de unos instrumentos y unos recursos, pero también en base a una determinada forma de usar toda esta amalgama de recursos. Es una revolución que está condicionada por una serie de posturas sociales y por un entorno comunicacional que, a la postre, termina (re)creando un contexto en el que, conviene no olvidarlo, se encuentran un conjunto de intereses, que impulsan la dinámica tecnológico-sociológica en una u otra dirección.

En consecuencia, en una época en la que la tecnología es una realidad en todas las facetas de la vida, no parece posible imaginar ya un escenario educativo sin las TIC, ya que "incluso los más tecnófobos se han abrazado, a veces casi incondicionalmente, a sus múltiples redes. Tal es su significación que, en el momento actual, creemos que, si estas tecnologías desaparecieran de forma radical, el mundo sería completamente diferente y entraríamos, sin duda, en una nueva edad media, en un fenómeno supuestamente semejante a que ocurrió cuando despareció el Imperio romano" (Aguaded y Cabero, 2014: 69).

A pesar de ello, no estamos presentando un conjunto de capítulos protagonizados por el binomio "educación-nuevas tecnologías" que den por sentado un ciclo que pueda considerarse "cerrado" sino una serie de experiencias que apuntan hacia la educación y la tecnología como una fuente permanente de creación de contextos. En tanto que focos de pensamiento y de realización social, este libro que ahora se inicia es un ejemplo claro de que la educación y la tecnología se han convertido en un binomio que se ha hecho inteligible por medio de las prácticas, las estrategias y la hibridación de los materiales (multimedia) que, con el transcurso de los últimos años, han sedimentado otras estructuras de aprendizajes curriculares y pedagógicas en las instituciones escolares.

La implementación de las nuevas tecnologías en el campo educativo y su posterior integración en el currículo está condicionando a la pedagogía y está influyendo sobre "quiénes creen ser los aprendices y dónde creen que les gustaría estar en el futuro, y esto, a su vez, tiene grandes consecuencias potenciales sobre sus aspiraciones socioeconómicas, políticas y culturales" (Loveless y Williamson, 2017: 18).

En efecto, al tratarse de un alumnado que, actualmente, puede disponer de un uso de la información que ostenta un rol más relevante, cualitativa y cuantitativamente, que en épocas anteriores, este alumnado tiene la capacidad de concebir el aprendizaje como algo implicado en muchas de las vías (intereses, motivaciones, etc.) de las que dispone para pensar y actuar en su día a día.

De esta manera, se puede aseverar que el aprendizaje contribuye a crear la sociedad. Se abren, así, las puertas a la llamada "pedagogía construida" para hacer mención a los avances y los conocimientos que los sistemas tecnológicos nos enseñan (Pallarès y Chiva, 2017). Con esta "pedagogía construida" se reformulan no solo las actividades, las estrategias y las prácticas de la pedagogía sino incluso el sentido mismo de aquella interioridad, asumida e interiorizada por el alumnado. De hecho, es necesario recalcar que las nuevas tecnologías necesitan reestructurar y privilegiar ciertas vertientes de acción humana, actividad social y sensaciones emocionales, incluso nuevas técnicas corporales, otras prácticas del yo y diferentes capacidades mentales, así como la regulación de ciertos comportamientos y maneras de proceder que pueden ser asumidas mediante las identidades del alumnado y trasladarse del aula al mundo. Por consiguiente, los usos de las nuevas tecnologías y de los medios en la educación deben analizarse con detenimiento, pues precisan de unas pedagogías materiales y virtuales y de unas decisiones políticas de las que dependen tanto las experiencias que generan como aquellas acciones que las hacen posible y que los propios materiales tecnológicos ejecutan (Loveless y Williamson, 2017).

Todo lo apuntado en el párrafo precedente apunta a una cierta "desmaterialización" vinculada a la digitalización, y ello provoca que el contenido de los libros, el conocimiento y los reflejos de los constructos culturales ahora puedan "fluir sin restricciones materiales y puedan también ser fácilmente accesibles en todo momento y en todo lugar con una simple conexión a Internet" (Vinck, 2018: 73).

Estas circunstancias obligan a la pedagogía a analizar las interacciones acaecidas mediante los dispositivos y aplicaciones digitales, entender bien cómo se segmenta, presenta y gestiona la comunicación digital y afrontar el reto de fomentar un uso adecuado de la multitud de maneras de comunicación (que se producen a través de medios digitales) para adaptar estrategias y metodologías a cada destinatario específico.

Esta nueva era permite a la educación disponer de tecnología y medios para el trabajo en grupo, para los procesos colaborativos y para la consolidación común de recursos, contenidos y conocimientos, pero, al mismo tiempo, también le exige "ser capaz de protegerse a sí mismo y a otros de posibles peligros en línea (por ejemplo, el ciberacoso) y desarrollar estrategias activas para la identificación de conductas inadecuadas" (Palomo, Buena y Palomo, 2016: 17). De ello se deriva que la pedagogía debe proporcionar al profesorado herramientas que ayuden a desarrollar en su alumnado identidades digitales que les permitan "proteger la propia reputación digital y gestionar los datos generados a través de las diversas cuentas y aplicaciones utilizadas" (Palomo, Buena y Palomo, 2016: 17).

Tal y como se ha ido apuntando en las páginas anteriores, las prácticas escolares hoy no se sustentan únicamente en un uso conveniente de las nuevas tecnologías, deben desarrollarse a partir de una concepción pedagógica que haga posible la integración efectiva del currículo. Si bien es cierto que el día a día de una escuela ya no se puede llevar a cabo sin unas aulas con tecnología no lo es menos que la acción educativa, basada en la transmisión del saber y en la regulación de las vías (digitales) mediante las que este saber circula, requiere de actuaciones que consideren al aprendizaje como no lineal (e incluso como "navegable"), como lo son los nuevos medios hipertextuales.

El aprendizaje necesita, de manera incontestable, de una multipedagogía que tenga presente los flujos en red, que sea consciente de que, cada vez más, estamos viviendo en una época de "autoeducación continua" y que nuestro alumnado se ha convertido en una especie de "público en red", es decir:

> Personas reestructuradas por las tecnologías en red y, como tales, son, simultáneamente: 1) el espacio constituido a través de las tecnologías en red; 2) el colectivo imaginado que emerge como resultado de la intersección de personas, tecnología y práctica. Los públicos en red realizan muchas de las mismas funciones que otros tipos de públicos; permiten a las personas reunirse con propósitos sociales, culturales y cívicos, y ayudan a la gente a conectar con un mundo que está más allá de sus amigos cercanos y sus familiares (Boyd, 2011: 39).

En la relación biunívoca entre las herramientas de aprendizaje y el sentido de las actividades que se proponen al alumnado (relación que ha formado parte del núcleo esencial de gran parte de las investigaciones pedagógicas desde el siglo XIX), la casuística antropológica de este público en red (en el que se ha convertido nuestro alumnado), así como la gestión del rol de la tecnología como instrumento reformulador del sentido mismo del aprendizaje, son esenciales. Y lo son porque esta nueva situación tecnológica y social hace posible que en las prácticas educativas nuestro alumnado pueda ir más allá de algunas de las metáforas de aprendizaje que se anclaban en libros de texto, tizas y clases magistrales. Todo ello permite que de las tres imágenes clásicas de la educación (la educación como orientación, la educación como sistema mecánico y la educación como marco de desarrollo del crecimiento espontáneo) pasemos a la educación como paradigma en el que las nuevas tecnologías no son sino unos mecanismos que permiten que nuestro alumnado genere capacidades y asimile unos valores en acción que, más allá de los (clásicos) contenidos, le proporcionen herramientas para aprender a gestionarse a sí mismo y para aprender a integrarse en el mundo que viene.

Como se va a comprobar en los capítulos que componen este libro, las nuevas tecnologías hacen viable una acción educativa sustentada en la producción y la hibridación; quien aprende dispone, por lo tanto, de mecanismos para recopilar datos multimedia, para analizarlos y para (re)presentarlos de manera dinámica, tanto en dentro del aula como fuera. La galaxia digital no solo nos transporta de la pizarra a la pantalla sino también hacia la participación y hacia la creación de textos multimodales.

Más que el mero hecho de introducir artefactos tecnológicos dentro de la escuela, lo importante es tener presente que el acceso al conocimiento y a la posibilidad de interactuar con otras personas ya no se encuentra delimitado por muros, y las necesidades de cada acción educativa concreta pueden decidir la manera mediante la cual el alumnado:

> Participa en una variada gama de medios, redes, comunidades y lugares. Los aprendices deben tomar decisiones en torno a cómo acceder, filtrar y recoger información importante para cuestionar, interpretar, dotar de sentido y representar su comprensión empleando una gama de alfabetizaciones para poder leer y escribir de diferentes maneras. Los aprendices pueden inspirarse e implicarse en varias vías y modos de conexión, y usar múltiples herramientas para construir, representar y comunicar sus nuevos conocimientos y formas de interpretar la realidad (Loveless y Williamson, 2017: 141).

A partir de esta capacidad de construcción que las tecnologías otorgan al alumnado, un reto relevante que debe afrontar la didáctica como campo científico en el ámbito de las TIC es la necesidad de que el profesorado reestructure sus tradicionales casuísticas y roles pedagógicos y que apueste por enfoques más dinámicos de creación de espacios de aprendizaje y control del proceso didáctico. En estas circunstancias, lo que se demanda es que el profesorado sea mediador entre los contenidos, las redes, las herramientas y las personas que participen en el proceso, y se debe llevar a cabo en base a tres dimensiones: pedagógica, disciplinar y tecnológica, que tienen que estar en permanente interacción.

En consecuencia, en los capítulos que van a seguir a esta introducción encontraremos experiencias que, a través de la combinación de conocimientos pedagógicos del contenido, así como la aproximación al uso de las TIC en los procesos de enseñanza y dominio tecnológico, servirán de referente a otros profesionales de la educación que quieran desarrollar iniciativas que ofrezcan respuestas a las necesidades que la sociedad actual exige a la educación.

Hacemos referencia a experiencias educativas puestas al servicio del replanteamiento de las posturas pedagógicas y de la redefinición de las opciones que este tipo de tecnologías ofrecen para que, de esta manera, mediante las TIC, se puedan generar escenografías tecnológicas que permitan crear contextos en los que los estudiantes tengan la oportunidad de desarrollar la imaginación, la inteligencia visual y el pensamiento crítico.

A pesar de todo lo apuntado en esta introducción, conviene tener en cuenta que la tecnología no es (exclusivamente) "buena", ya que lo que se hace necesario siempre es una reflexión pedagógica previa. La idoneidad de su uso se concretará a partir de la introducción de cada práctica educativa concreta, que necesariamente requerirá de fundamentaciones pedagógicas, por eso:

> El uso de las tecnologías es inseparable de una serie de reglas de intervención pedagógica que, en función de las interrelaciones entre las condiciones y los efectos validados por cada contexto concreto, la escuela que llega tendrá que ser capaz de fijar para conseguir las metas educativas exigidas por la sociedad de su momento. Solo así se logrará establecer prácticas educativas percibidas como paradigmas coherentes con lo que vive su alumnado fuera de las aulas, unas prácticas entendidas como retos habilitados para ofrecer respuestas a cuestiones particulares sobre qué y cómo enseñar en cada momento de la historia (Pallarès, Chiva, López y Cabero, 2018: 42).

La diversidad de experiencias relatadas en estos capítulos que vienen a continuación por diferentes profesores y profesoras hay que entenderlas como un bagaje puesto al servicio del resto de profesorado, quien deberá encontrar su camino a la hora de implementar experiencias similares en su contexto.

Se trata, además, de un contexto en el que estar en disposición de ponerse delante del alumnado no resulta nada sencillo: un sinfín de dimensiones interconectadas evidencian una angustiante coreografía de vinculaciones entre saberes, personas, elementos digitales y una complicada interacción entre distintos entornos.

Al final, por lo tanto, en unos momentos en los que todo puede alimentarse de (casi) todo y en los que cada individuo se va dando cuenta que su realidad no es tanto una realidad compacta como una multiplicidad centrífuga, el profesional de la enseñanza debe interrogar, escrutar y (re)organizar sus ideas en base a sus propias prácticas, para observar, resignificar y hacer avanzar su acontecer pedagógico, a fin de proyectar otras acciones educativas mediante las ejecuciones prácticas de planificación y organización que mejor se adapten a sus circunstancias y a su contexto inmediato.

Referencias bibliográficas

Aguaded, I. y Cabero, J. (2014). Avances y retos en la promoción de la innovación didáctica con las tecnologías emergentes e interactivas. Educar, Especial 30º aniversario, 67-83.

Boyd, D. (2011). "Social network sites as networked publics: affordances, dynamics, and implications. En: Z. Papacharuissi (Ed.): A Networked Self: Identity, Community and Culture on Social Network Sites, 39-58. Abingdon: Roudedge.

Ballester, L. y Colom, A. J. (2017). Epistemologías de la complejidad y educación. Octaedro: Barcelona.

Loveless, A. y Williamson, B. (2017). Nuevas identidades de aprendizaje en la era digital. Madrid: Narcea.

Palomo, R.; Bueno, M. J. y Palomo, D. (2016). "La competencia digital en la sociedad del conocimiento. En: J. S. Sánchez, J. Ruiz y M. Gómez (coords.): Tecnologías de la comunicación y la información aplicadas a la educación. Madrid: Síntesis.

Pallarès, M.; Chiva, Ó.; López, R. y Cabero, I. (2018). La escuela que llega. Barcelona: Octaedro.

Pallarès, M. y Chiva, Ó. (2017). La pedagogía de la presencia. Tecnologías digitales y aprendizaje servicio. Barcelona: UOC.

Vinck, D. (2018). Humanidades digitales. Barcelona: Gedisa.

CAPÍTULO II

APLICACIONES KDE EDU: SOFTWARE LIBRE PARA MEJORAR LA EDUCACIÓN

Don Baltasar Ortega Bort

Universidad Internacional de la Rioja, España

Doña María Carmen Muñoz Escalada

Universidad Internacional de la Rioja, España

Resumen

Este proyecto educativo pretende comprobar si es posible una mejora del proceso enseñanza-aprendizaje en el alumnado utilizando para ello tanto aplicaciones libres como su filosofía de aprendizaje cooperativo y acumulativo. Para ello se han seleccionado tres aplicaciones libres de la rama educativa relacionadas con las ciencias del Proyecto KDE sobre las cuales el alumnado ha realizado actividades al tiempo que aportaba posibles mejoras a las mismas utilizando el sistema de reporte de errores y mejoras de los desarrolladores de Software. Estas aplicaciones han sido Step, un simulador de mundos físicos en 2D, Kig, una aplicación de geometría plana interactiva y Kalgebra, una calculadora analítica y visual. Se buscaba incrementar la motivación y los conocimientos en el proceso de enseñanza-aprendizaje del alumnado fomentando la competencia clave Aprender a aprender. El proyecto se realizó en 5 fases a lo largo de 3 meses, con una dedicación de tres horas semanales. La forma de evaluación se ha basado en la realización de formularios por parte del alumnado y aunque los resultados han sido positivos ya que generalmente el alumnado si ha mostrado mayor motivación, se observa la necesidad de adaptar las vías de comunicación entre estudiantes y desarrolladores para que se fortalezca el proceso de aprendizaje de los estudiantes.

Palabras clave

Educación, Software Libre, TIC, Secundaria, KDE

1. Introducción-Justificación

La enseñanza mediante las TIC se ha convertido en algo generalizado (Luz, 2018) y casi imprescindible en el entorno escolar. Nuestros alumnos se relacionan, comunican y divierten mediante la tecnología, incluso la utilizan para realizar aprendizajes en entornos no formales. Es por ello que no podemos obviar su aprendizaje utilizándolas ya que estas nos proporcionarán uno de los elementos básicos e imprescindibles que rigen el aprendizaje, como es la motivación (Peñaloza & Pinos, 2018).

En este artículo se presenta un proyecto de innovación educativa que pretende mejorar el aprendizaje del alumnado en las asignaturas de Ciencias de Educación Secundaria (ESO) mediante la utilización de herramientas TIC creadas por la Comunidad KDE..

Es evidente que el docente del siglo XXI debe ser competente en el uso de las TIC pero ¿qué clase de TIC debe utilizar preferentemente? La respuesta es aquella que mejor se adapte a su alumnado, no obstante, se debería orientar hacia un tipo de Software que no solo solventa los problemas curriculares sino que tiene asociado un elevado valor ético (Stallman, 2016) y cuyo avance no solo beneficie a su alumnado sino que propicie una mejora para toda la Comunidad Educativa, tal y como se produce en otros ámbitos como el de la salud (Córdoba, 2018).

Utilizar Software privativo en las TIC es en realidad utilizar un tipo de Software que obstaculiza tanto compartir la propia aplicación como los contenidos que pudieran generarse de ella (Mas, 2005), es cerrar el paso a una revolución comparada con la invención de la imprenta y la de Internet, al tiempo que facilitamos las desigualdades sociales y alimentamos las empresas privadas cuyos principios se basan en el simple beneficio económico (Stallman, 2016). Es prácticamente ir en contra de la comunicación entre los humanos, algo que fue imprescindible para nuestra supervivencia en nuestros orígenes y fuente de nuestro desarrollo actual.

En otras palabras, es equiparable al avance científico cooperativo gracias al cual nuestra sociedad ha evolucionado a un ritmo vertiginoso en tan poco tiempo gracias a compartir conocimientos (Wolf, 2018).

Es por ello que en este proyecto se quiere proponer y analizar los resultados de una investigación sobre los beneficios académicos y éticos que tiene para el alumnado la utilización de forma integral en el aula de aplicaciones TIC basadas en Software Libre realizadas por el equipo de KDE Edu como son KAlgebra, Kig y Step, así como la repercusión que puede tener en el propio desarrollo de las aplicaciones pues se pondrá en contacto al alumnado con los desarrolladores.

La relevancia de este proyecto viene dada porque KDE es una comunidad de Software libre dedicada a crear una experiencia informática abierta y fácil de usar. Ofrece un escritorio gráfico avanzado, una amplia variedad de aplicaciones para todo tipo de necesidades: comunicación, trabajo, educación y entretenimiento, además de una plataforma para crear fácilmente nuevas aplicaciones. (KDE, 2019).

En el seno de la Comunidad KDE apareció la rama que produce aplicaciones educativas, la cual recibe el nombre de KDE Edu y ofrece más de 20 aplicaciones gratuitas que, utilizando la filosofía del Software libre, ayudan en el proceso de enseñanza-aprendizaje de nuestros alumnos, cubriendo desde niveles de infantil hasta universitarios y abarcando muchas áreas de aprendizaje, desde geografía a lenguas pasando por ciencias o música. Algunas de sus aplicaciones son Marble, KAlgebra, Parley o Minuet (KDE Edu, 2019).

En la realización de este proyecto de innovación educativa han sido seleccionadas 3 de estas aplicaciones relacionadas con el área de Ciencias de ESO y han sido utilizadas y evaluadas por un grupo de alumnos de 4º de ESO y 3º de ESO a lo largo de un mes lectivo. De esta forma, el alumnado ha realizado una serie de actividades relacionadas con el currículo de Educación Secundaria y, posteriormente, han respondido unos cuestionarios sobre las aplicaciones que buscan conocer el grado de eficacia que tiene su uso en el proceso de enseñanza-aprendizaje, al tiempo que se busca responder a la pregunta de si implicarlos en el desarrollo de las aplicaciones libres aumenta su motivación y su aprendizaje.

1.2. ¿Qué es el Software Libre?

Con el propósito de crear un sistema operativo compatible con UNIX pero de código abierto, Richard Stallman inició el movimiento del Software Libre en 1983. Fue una respuesta a la restricción sobre el acceso al código que ATT intentó imponer sobre UNIX (Castells, 2018) El concepto era que todo el que quisiera pudiera utilizar, leer o modificar las instrucciones del programa para adaptarlo a sus necesidades y que, posteriormente, esas mejoras quedarían a disposición de todo el mundo.

La filosofía se consensuó entre los desarrolladores y, de esta forma, Stallman (2002) concretó las libertades que el Software libre propone y promueve, y que se resumen de la siguiente forma:

- Libertad 0: La libertad de ejecutar el programa como se desee, con cualquier propósito.

- Libertad 1: La libertad de estudiar cómo funciona el programa, y cambiarlo para que haga lo que usted quiera (libertad 1). El acceso al código fuente es una condición necesaria para ello.

- Libertad 2: La libertad de redistribuir copias para ayudar a otros.

- Libertad 3: La libertad de distribuir copias de sus versiones modificadas a terceros. Esto le permite ofrecer a toda la comunidad la oportunidad de beneficiarse de las modificaciones. El acceso al código fuente es una condición necesaria para ello.

De esta forma nació el movimiento del Software Libre, que también recibió el nombre de GNU, acrónimo recursivo de GNU, que significa GNU is Not Unix. No obstante, esta iniciativa todavía adolecía de una base para funcionar ya que era como querer construir un coche libre pero solo tener las partes estéticas como asientos, puertas o volante, faltando todavía una parte básica sin la que el vehículo no tiene ningún sentido: el motor.

Un poco más tarde, Linus Torvalds en 1991, un joven estudiante de apenas 21 años de la Universidad de Helsinki, inició el diseñó su propio UNIX kernel para su ordenador (Raymond, 2000). Esto es esencialmente la parte básica o motor de un sistema operativo, el que se encarga de controlar los procesos primarios de un ordenador. En otras palabras, le dice al sistema qué hacer cuando se conecta a un monitor o cuando insertamos un dispositivo USB.

Linus basó su proyecto en las libertades del Software Libre, publicando su código fuente y dejándolo abierto a cualquier programador que quisiera colaborar con él. Esta iniciativa tuvo una gran aceptación y un gran número de desarrolladores empezaron a trabajar de forma desinteresada, desarrollando así el sistema operativo Linux (Zurita, 2008)

De esta forma, al fin el movimiento del Software Libre tenía los dos elementos básicos definidos: GNU que simbolizan los programas o aplicaciones y Linux que representa el Kernel o la base del sistema operativo. Y así es como se le empezó a conocer como GNU/Linux (Wang, 2018).

1.3. ¿Por qué utilizar Software libre en educación?

Son muchas las ventajas del Software libre en la educación, desde pedagógicas a económicas pasando por razones de privacidad y seguridad, sin olvidar las medioambientales o las éticas (Rodríguez, 2017; Alvarado & Miguel, 2018).

De esta forma, y argumentando la primera ventaja citada, Contreras (2006) dice "El Software libre a su vez ofrece mayores ventajas pedagógicas a la educación en línea, por ejemplo, el Software libre puede adaptarse a las necesidades docentes de un curso y puede, además, modificarse para ofrecer a los alumnos una versión simplificada o actualizada" (p. 8).

Complementando esta ventaja es interesante remarcar que esas posibles modificaciones realizadas por parte del profesorado en el Software libre pueden ser compartidas a otros docentes sin problemas de licencias, algo que supone un ahorro de costes tanto de tiempo como de índole económico.

Si nos vamos a las ventajas económicas estas son evidentes ya que se produce una disminución de costos al no pagar licencias. Este hecho se corrobora por el interés de las empresas privadas en dotar de bienes y servicios privativos a coste cero a los Centros Educativos e Instituciones. Esto se trata de un montaje con fines lucrativos como corroboran Adell y Bernabé-Muñoz (2007) diciendo que "se trata en realidad de una estrategia comercial para captar futuros clientes y para formarlos en sus productos a costa del erario público. Es una simple trampa" (p. 184).

En este aspecto hay que destacar que si queremos una escuela 3.0, es decir, la evolución desde una escuela clásica y tradicional a una escuela social y que de respuesta a todas las demandas de la sociedad el software y el hardware debería ser accesible a bajos precios y usados con un fin de forma intencionada, lo cual incluye visualizarlos como una herramienta completa y de código abierto (Moravec, 2009).

Otro aspecto por destacar es la privacidad y seguridad. En un mundo cada vez más digitalizado o de los valores en alza son nuestros datos personales, los cuales se convierten en un bien preciado por sus múltiples usos, algunos de ellos positivos como la detección de enfermedades o la posibilidad de evitar los atascos, y otros negativos como su uso por muchas empresas que pueden llegar a una personalización extrema de la publicidad que recibimos.

Es evidente que las empresas privadas que ofrecen productos gratuitos a los usuarios que no son Software libre, es decir, que su código no es accesible para cualquier desarrollador, lo hacen ya que de una forma u otra esperan sacar provecho de nuestros datos personales, los cuales serán convertidos en beneficios económicos a corto o largo plazo (Ventura, 2012). Las Comunidades de Software libre tienen entre sus principios la transparencia respecto al uso de los datos que les ofrecemos, ya que estos, además de no ser vendidos, se encriptan para que estos no sean visibles en caso de intercepción de los mismos.

Es importante destacar que los sistemas GNU/Linux son más seguros por varias razones, aunque las más evidentes para los usuarios medios es la casi inexistencia de virus y otros tipos de Software malicioso (Castaño, 1999) tanto por razones del modelo de desarrollo de Software como la de su arquitectura en cuanto a gestión de permisos para los diferentes permisos de usuarios.

No olvidemos que la utilización del Software libre también lucha contra el mal uso de los recursos de nuestro planeta ya que permite aprovechar material informático obsoleto y darle una nueva vida. Por norma general, la comunidad proporciona mantenimiento y ayuda cuando algún equipo o aplicación queda potencialmente en desuso y necesita alguna actualización. Fruto de esta filosofía han aparecido empresas como Reciclanet (Reciclanet, 2018) o proyectos como eReuse (eReuse, 2018) que se encargan de reciclar equipos obsoletos equipándolos con equipos GNU/Linux y vendiéndolos a precios reducidos.

Finalmente, la parte ética es también muy poderosa ya que poner en práctica valores como compartir y cooperar; evitar o erradicar el uso de copias no autorizadas de Software, y combatir la brecha digital (Adell, 2007; Adell y Bernabé-Muñoz, 2007). El Software libre no ofrece ninguna restricción en cuanto a las licencias privativas. De esta forma el profesorado puede dar una copia de cualquier programa utilizado o sistema operativo libre a su alumnado, a la vez que estos la pueden utilizar o modificar en sus casas para cualquier tipo de uso y ambos pueden crear nuevos proyectos a partir del código inicial.

1.4. Software Libre y el aprendizaje

El *Software* libre está íntimamente ligado al aprendizaje. En sus libertades se explicita esta relación cuando nos invita a estudiar su código y a modificarlo según nuestras necesidades. Además, su desarrollo íntimamente ligado al trabajo en equipo y la cooperación entre diferentes perfiles de desarrolladores se asemeja mucho a las metodologías educativas que fomentan el aprendizaje constructivista.

Cobo. (2009) propone un análisis sobre "[...] los beneficios y oportunidades que se derivan de la idea de enriquecer los procesos de aprendizaje a través de tecnologías desarrolladas con Software libre" (p. 8) y nos presenta el triángulo Creatividad-Software libre-Educación. En ella nos explica la íntima relación que tiene los tres conceptos, y concluye en la necesidad en que las instituciones educativas apuesten por este tipo de Software para la educación de su alumnado. Además, incide que esta apuesta está perfectamente integrada con muchos de los 20 indicadores clave definidos en el marco del Consejo Europeo de Lisboa (Council of the European Union, 2007) para formación de nuevas competencias digitales de nuestros alumnos.

La posibilidad de que los estudiantes no sean meros usuarios de una aplicación, sino que puedan participar en su desarrollo, siendo reconocido por ello, es en un principio altamente motivador y puede fomentar su creatividad e implicación con el mundo real. En otras palabras, es una forma de poner implementar las ideas constructivistas de aprendizaje para un alumnado que participaría de forma activa en la adquisición de unos conocimientos a través de unas actividades contextualizadas a sus intereses y necesidades (Requena, 2008) y, por otra parte, conseguir que estas participaciones no se quedaran únicamente en el aula, sino que podrían ser utilizadas por otros docentes o estudiantes.

Si cambiamos de punto de vista, Linarez (2013) en el artículo "La implementación del Software libre en la educación" destaca el coste cero (o siempre menor que el privativo) que generalmente implica la utilización del Software libre, lo cual justifica de sobra su utilización y fomento por parte de las administraciones educativas. El propio Linarez (2013) destaca que "Las instituciones educativas deben instruir con el ejemplo. Al utilizar el Software libre se promueve una sociedad en libertad, donde se enseña a convivir como una comunidad colaborativa en donde cada uno de los participantes aporta soluciones, haciendo más enriquecedora la experiencia de aprendizaje" (p. 71).

Un ejemplo de esto son las diferentes iniciativas por parte de administraciones educativas de creaciones de distribuciones basadas en Software libre como Lliurex de la Generalitat Valenciana, Max de la Comunidad de Madrid o Linkat de Cataluña. Estos sistemas operativos no solo contribuyen a aligerar la carga económica en la dotación de los equipos informáticos a la Administración, sino que contribuyen a alargar la vida útil de los mismos, al tiempo que su desarrollo ayuda al resto de proyectos libres.

Con ello parece claro que el Software Libre es básico si queremos una sociedad igualitaria fruto de una educación que fomente esa virtud (Anaya, 2018) y que esta educación sea independiente de la condición económica del estudiante, ya que permite compartir herramientas de enseñanza-aprendizaje al tiempo que contribuye a adquirir las competencias digitales tan necesarias.

Para la realización del proyecto de innovación educativa se seleccionaron las siguientes aplicaciones educativas de KDE Edu por su vinculación con las materias estudiadas.

- **Step**: un simulador de mundos virtuales en 2D. En el espacio creado en esta aplicación se pueden situar objetos de todo tipo, crear fuerzas gravitacionales o coulombianas, crear movimientos lineales acelerados o no, situar muelles, definir objetos inamovibles y otras variables inherentes al mundo físico (Step, 2019).

  Para facilitar el estudio del mundo cuenta con generadores de gráficos, etiquetas, controladores, textos, etc. Por último, hay que destacar que tiene una ventana con las propiedades físicas de los objetos y varias ventanas informativas.

- **Kig**: una aplicación con la que podemos realizar geometría interactiva. En un espacio euclidiano o polar podemos construir cualquier objeto geométrico 2D de varias formas, el cual nos proporcionará información como su área, perímetro, número de lados, etc (Kig, 2019).

Además, podemos realizar transformaciones sencillas como cambios en el aspecto de las figuras (color, grosor, nombres, etc) o más elaboradas como rotaciones, traslaciones o simetrías.

- **KAlgebra**: una calculadora analítica y visual que nos permite, además de realizar complejos cálculos, definir y representar un sinfín de funciones, tanto en 2D como en 3D. (KAlgebra, 2019).

  Además, dispone de una completa pestaña con un glosario de conceptos matemáticos y la posibilidad de ir guardando las funciones definidas para utilizarlas posteriormente.

2. Objetivos del proyecto

El objetivo general del proyecto es conseguir una mejora del proceso enseñanza-aprendizaje en el alumnado utilizando para ello tanto aplicaciones libres como su filosofía de aprendizaje cooperativo y acumulativo.

Para ello, y siendo más específicos, se pretende:

- Iniciar el establecimiento de mecanismos de comunicación efectivo entre alumnado, profesorado y desarrollador.

- Utilizar cada aplicación para mejorar el aprendizaje significativo del alumnado en cada una de ellas y descubrir el impacto que tiene el uso de Aplicaciones Libres sobre el alumnado fomentando su influencia en ellas.

- Fomentar la competencia clave de aprender a aprender proporcionando herramientas informáticas para ello de adquisición universal.

2.1. Descripción del centro educativo o contexto

El Centro educativo seleccionado es un Colegio Concertado situado en la localidad de Sagunto. La escuela se encuentra en un barrio en las que la mayoría de las familias son de clase media con poco alumnado procedente de otros países. Se trata de un centro de una línea, donde conviven unos 313 alumnos, 60 en la etapa de Educación Infantil, 154 en Educación Primaria y 99 en la Educación Secundaria.

El Centro, por su parte, dispone de un proyector y un ordenador en todas y cada una de sus aulas, 3 equipos informáticos con fotocopiadora propia en la sala de profesores, así como de una sala de ordenadores con 15 equipos con un arranque dual: Sistema Operativo GNU/Linux y Windows. Además, una red Wi-Fi proporciona conexión a Internet en todo el recinto escolar, aunque de velocidad limitada.

2.2. Destinatarios del proyecto

El coordinador del Proyecto ha sido el Jefe de Departamento de Ciencias de Secundaria del Centro educativo, con la colaboración de los profesores de Matemáticas, Ciencias y Tecnología.

Los destinatarios y beneficiarios han sido el alumnado de cuarto curso de Educación Secundaria de la asignatura de Física y Química, Biología y Geología y algunos de Tecnología de 3º de ESO.

Se espera que el profesorado tenga un escenario diferente en el que pueda detectar las debilidades y fortalezas en los conocimientos del alumnado, y que este conocimiento le sirva como referencia para futuras sesiones. Por otra parte, se espera fomentar la competencia clave de "Aprender a aprender".

Finalmente, los desarrolladores de las aplicaciones recibirán información directa de uso por parte del alumnado sobre sus aplicaciones (procesos, flujos de trabajo, dificultades, mejoras en la interfaz gráfica, errores, etc) con los que podrán mejorar y orientar sus creaciones con el objetivo de que estén más orientadas al público objetivo.

3. Desarrollo del proyecto

Para el desarrollo del proyecto se seleccionaron tres aplicaciones educativas de la rama KDE Edu de la Comunidad KDE, las cuales están orientadas al aprendizaje de las ciencias. Todas ellas pueden ser utilizadas desde niveles curriculares de ESO hasta universitarios y promueven el trabajo autónomo en su funcionamiento y la competencia clave "Aprender a aprender", ya que permiten regular el autoaprendizaje del alumnado.

Estas tres herramientas se ajustan muy bien al nivel del alumnado objetivo del estudio tanto en nivel curricular como en habilidades previas de uso ya que todos ellos están realizando estudios de física y matemáticas. Por otra parte, las tres aplicaciones son estables y están en continuo desarrollo, con actualizaciones recientes y desarrolladores encargados de su mantenimiento.

Una vez seleccionadas se preparó la sala de ordenadores con todas las aplicaciones instaladas o un sistema GNU/Linux para llevar a cabo el proyecto.

3.1. Metodología

Para llevar a buen término este proyecto se dividió en cinco fases cuya duración vino marcada por las características del alumnado, el cual ya tenía cierta experiencia en términos como GNU/Linux, la filosofía del Software Libre y el funcionamiento de alguna de las aplicaciones, concretamente en Step.

El esquema básico fue el siguiente:

Ilustración 1: Diagrama de Fases.   Fuente: Elaboración propia

Como se visualiza en el gráfico, la metodología empleada se divide en 5 fases. En la primera de ellas se realiza una introducción al Proyecto de Innovación Educativo que se va a llevar a cabo.

Las fases 2, 3 y 4 se centran en las actividades colaborativas que va a realizar el alumnado con la ayuda del profesorado. En esta fase el alumnado irá adquiriendo las habilidades necesarias en el uso de las aplicaciones educativas y mejorando sus conocimientos sobre las asignaturas específicas.

La última fase trata de conectar al alumnado con los desarrolladores de las aplicaciones trabajadas mediante el reporte de errores utilizando los mecanismos propios de los proyectos de Software Libre.

3.2 Actividades

Las actividades realizadas con el alumnado se describen en las siguientes fichas de trabajo:

Tabla 1: Primera fase de la realización de las actividades por parte del alumnado

Fase 1: Presentación del proyecto y de las herramientas		
Temporalización	**Contenidos**	**Competencias Clave**
1 sesión de 1 hora y 40 minutos	Física y Química 4º ESO BL. 1.8., BL. 1.9	CD CPAA CSC SIEE
Objetivos		
<ul><li>Conocer el Software libre, así como sus ventajas e inconvenientes.</li><li>Despertar interés por participar en un proyecto comunitario.</li><li>Realizar una demostración de las aplicaciones de KDE: Step, Kig y KAlgebra.</li></ul>		
Desarrollo de la actividad		
En un aula con proyector y un ordenador con todas las aplicaciones instaladas se presenta el proyecto mediante una charla abierta a preguntas. En primer lugar explica qué es el *Software* libre utilizando los vídeos de Oficina de *Software* Libre de La Laguna [https://osl.ull.es/que-es-el-*Software*-libre/]. A continuación, el profesor ampliará la información explicando, si es necesario, las libertades del *Software* libre y el funcionamiento de las comunidades. A continuación, se explica el proyecto KDE y KDE Edu. Se describen la aplicaciones que se van a trabajar (*Step, Kig* y *KAlgebra*) y se realizan las demostraciones básicas de las mismas. Para finalizar la sesión se realiza una explicación de qué son los reportes de errores dentro de los proyectos y se realiza una demostración de cómo se realiza uno de ellos.		

Tabla 2: Segunda fase de la realización de las actividades por parte del alumnado, trabajando con Step.

Fase 2: Trabajando con *Step*		
Temporalización	**Contenidos**	**Competencias Clave**
3 sesiones de 50 minutos	Física y Química 4° ESO BL. 1.8., BL. 1.9 BL. 1.10 BL. 1.14 BL. 1.17, BL. 4.2 BL. 4.4 BL. 4.6	CMCT CD CPAA CSC SIEE

Objetivos

- Crear un mundo virtual para comprobar las gráficas del MRU y otro para MRUA.
- Simular un ejercicio de MRU y otro de MRUA que se pueda resolver utilizando la aplicación.
- Resolver un ejercicio de dinámica con la aplicación.
- Comprobar la ley de Hooke

Desarrollo de la actividad

En la sala de informática, cada alumno utilizará un ordenador personal con la aplicación instalada. Tras ejecutar *Step* el alumnado irá realizando las tareas una tras otra, pudiendo consultar los ejemplos proporcionados por la aplicación, los apuntes de la asignatura de Física y Química, la web, al compañero o al profesor si se quedan atascado.

Se potencia la interacción entre el alumnado para la resolución de las actividades planteadas.

Una vez realizadas todas las tareas, el alumnado rellenará la encuesta sobre la aplicación y anotará aquellas mejoras que cree que debería tener la aplicación, así como los errores encontrados en su utilización.

Tabla 3: Tercera fase de la realización de las actividades por parte del alumnado, trabajando con Kig.

Fase 3: Trabajando con *Kig*		
Temporalización	**Contenidos**	**Competencias Clave**
3 sesiones de 50 minutos	Física y Química 4° ESO BL. 1.8., BL. 1.9 BL. 1.10 BL. 1.14 BL. 1.17, BL. 4.2 BL. 4.4 BL. 4.6	CMCT CD CPAA CSC SIEE
Objetivos		
<ul><li>Crear figuras geométricas 2D y comprobación del cálculo correcto de sus áreas y perímetros.</li><li>Preparar de unos escenarios para la explicación de las propiedades geométricas de reflexión, rotación y traslación.</li><li>Crear ejercicios de suma de vectores de forma gráfica y su posterior comprobación.</li></ul>		
Desarrollo de la actividad		
En la sala de informática, cada alumno utilizará un ordenador personal con la aplicación instalada. Tras ejecutar *Kig* el alumnado irá realizando las tareas una tras otras, pudiendo consultar los ejemplos proporcionados por la aplicación, los apuntes de la asignatura de Matemática, la web, al compañero o al profesor si se quedan atascado. Se potencia la interacción entre el alumnado para la resolución de las actividades planteadas. Una vez realizadas todas las tareas, el alumnado rellenará la encuesta sobre la aplicación y anotará aquellas mejoras que cree que debería tener la aplicación, así como los errores encontrados en su utilización.		

Tabla 4: Cuarta fase de la realización de las actividades por parte del alumnado, trabajando con KAlgebra.

Fase 4: Trabajando con KAlgebra		
Temporalización	Contenidos	Competencias Clave
3 sesiones de 50 minutos	Matemáticas Académicas 4° ESO BL1.2 BL1.4 BL1.5 BL1.8 BL1.9 BL1.10 BL1.12 BL1.13 BL1.14 BL1.15 BL2.2 BL2.2 BL4.1	CMCT CD CPAA CSC SIEE CAA CCLI

Objetivos

- Entender el funcionamiento básico de la calculadora realizando operaciones básicas y dibujando gráficas sencillas, tanto predefinidas como creadas por ellos.

- Definir funciones básicas y operar con ellas.

- Crear una función matemática que resuelva el problema del cálculo del área de una superficie de un círculo (1 variable).

- Crear una función matemática que resuelva el problema del cálculo de la hipotenusa de un triángulo rectángulo a partir de sus catetos (2 variables).

Desarrollo de la actividad

En la sala de informática, cada alumno utilizará un ordenador personal con la aplicación instalada. Tras ejecutar *KAlgebra* el alumnado irá realizando las tareas una tras otras, pudiendo consultar los ejemplos proporcionados por la aplicación, los apuntes de la asignatura de Matemática, la web, al compañero o al profesor si se quedan atascado. Se potencia la interacción entre el alumnado para la resolución de las actividades planteadas.

Una vez realizadas, el alumnado rellenará la encuesta sobre la aplicación y anotará aquellas mejoras que cree que debería tener la aplicación, así como los errores encontrados en su utilización.

Tabla 5: Quinta fase de la realización de las actividades por parte del alumnado, reportando errores.

Fase 5: Reportando errores		
Temporalización	**Contenidos**	**Competencias Clave**
2 sesiones de 50 minutos		CMCT CD CPAA CSC SIE
Objetivos		
• Aprender a reportar un error en la infraestructura en el Bug System de KDE. • Potenciar el sentido crítico de las herramientas utilizadas. • Reflexionar sobre su papel en el desarrollo de aplicaciones basadas en *Software libre*.		
Desarrollo de la actividad		
La primera sesión se inicia en un aula con proyector, un ordenador y acceso a Internet. El profesor explica cómo se realiza el reporte de errores en el sistema de bugs de KDE mediante un ejemplo. Se deja turno abierto de preguntas para la resolución de dudas. Una vez finalizada esta sesión el alumnado se traslada a la sala de ordenadores donde el alumnado debe introducir un error de algunas de las aplicaciones. También es válido que reporten alguna mejora que se podría realizar en la aplicación: una mejora visual, inclusión de alguna funcionalidad, cambio en los parámetros gráficos, inclusión de tutoriales, etc.		

3.3. Recursos

Para el inicio la fase 1 se necesita disponer de una sala con proyector y un ordenador con las aplicaciones educativas instaladas para realizar una breve explicación del funcionamiento de las mismas. Por otra parte, dicho ordenador debe estar conectado a Internet para realizar una demostración de cómo reportar errores. El profesorado debe tener creada una cuenta en los servicios de la Comunidad KDE, los cuales solo necesitan de una cuenta de correo.

Los recursos necesarios para las fases 2 a 5 se concretan en equipos informáticos con las aplicaciones libres ya instaladas. Además, el docente debe estar formado en la utilización de estas aplicaciones y disponer de unas hojas específicas para cada aplicación. En concreto, lo ordenadores utilizados son unos Pentium IV de 4Gb de Ram con arranque dual OpenSUSE y Windows, aunque en realidad las aplicaciones utilizadas no requieren equipos potentes.

Además, es conveniente que en las fases 2 a 5 que los ordenadores también tengan conexión a la Internet para que el alumnado pueda realizar consultas, buscar información e incluso ver vídeos explicativos para las diferentes actividades que va a realizar.

3.4. Cronograma

Para la realización del proyecto se siguió el cronograma de la siguiente tabla. Se inició la preparación (creación de cuestionarios, selección de tareas, preparación de equipos, etc) se inició primera semana de noviembre, las sesiones con el alumnado se iniciaron la tercera semana de noviembre y el proyecto de innovación tecnológica finalizó la última semana lectiva de diciembre.

Tabla 6. Cronograma del proyecto

CRONOGRAMA		NOVIEMBRE				DICIEMBRE				ENERO
Semana		1	2	3	4	1	2	3	4	1
Planificación										
Desarrollo	Fase 1									
	Fase 2									
	Fase 3									
	Fase 4									
	Fase 5									
Evaluación										

3.5. Evaluación

La evaluación del proyecto se realizará en base de una serie de cuestionarios que se plantearon al alumnado al finalizar cada una de las fases con el objetivo que tuvieran lo más reciente posible la experiencia didáctica.

Los cuestionarios se pueden consultar en el Anexo I y en los siguientes enlaces:

- Fase 2: Step. https://goo.gl/forms/ANSnBDj1jIKvIpRj1
- Fase 3: Kig. https://goo.gl/forms/BzoWKwHB2Z5OCkHh1
- Fase 4: KAlgebra. https://goo.gl/forms/IQSgRRKNlLGy41t72
- Fase 5: Reporte de errores.
  https://goo.gl/forms/XOE6TCsXytWidNf13

4. Resultados

Vamos a dividir los resultados obtenidos en dos grupos: los que benefician al alumnado y los que benefician al desarrollo de la aplicación. De esta forma, para la primera tendremos la motivación y la dificultad en el uso de la aplicación y el aprendizaje que el alumnado cree que ha obtenido de ella.

Por otra parte, como retroalimentación para el desarrollo de la aplicación, tenemos el número de mejoras que el alumnado introduciría y en qué aspectos piensa el alumnado que podría participar en el desarrollo de forma personal.

4.1. Análisis de *Step*, el generador de mundos virtuales 2D

Un total de 12 alumnos participaron en la realización de estos cuestionarios, todos ellos con conocimientos previos de la aplicación.

En primer lugar vemos que en general el alumnado se muestra indiferente (41,7%) en el uso de la aplicación Step, aunque si nos fijamos el grado de motivación positiva (41,6%) es mayor que el negativa (16,61%), lo cual indica que en general el alumnado muestra una reacción positiva a la hora de utilizar la aplicación.

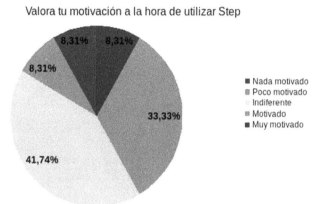

Valora tu motivación a la hora de utilizar Step

- Nada motivado
- Poco motivado
- Indiferente
- Motivado
- Muy motivado

8,31% 8,31%

8,31%

33,33%

41,74%

Ilustración 2: Valoración de la motivación del alumnado a la hora de utilizar Step.

En cuanto a la dificultad concluimos que en general el alumnado encuentra la aplicación con un nivel de dificultad adecuado para su utilización. Este dato puede estar condicionado a que anteriormente el alumnado había trabajado con ella y se habían realizado bastantes demostraciones en clase de Física y Química.

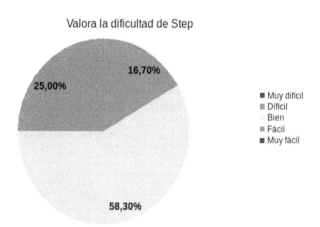

Valora la dificultad de Step

- Muy difícil
- Difícil
- Bien
- Fácil
- Muy fácil

16,70%

25,00%

58,30%

Ilustración 3: Valoración de la dificultad de Step.

Finalmente, en el aspecto sobre la mejora de comprensión de conceptos y procesos físicos, el alumnado en general cree que ha aumentado su dominio sobre ellos.

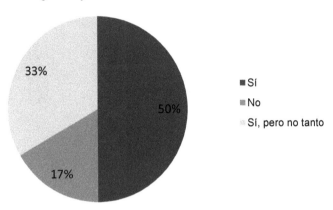

¿He mejorado mis conocimientos de física?

33%

50%

■ Sí
■ No
░ Sí, pero no tanto

17%

Ilustración 4: Reflexión del alumnado sobre su mejora en conocimientos de física tras utilizar Step.

En la segunda parte del estudio de Step nos encontramos con que el alumnado ha propuesto un buen número de mejoras, unas 20, entre las que destaca una mejora del apartado visual.

Por otra parte, la segunda pregunta clave era "¿Cómo crees que puedes contribuir en su desarrollo?" a la que podían seleccionar múltiples opciones, por lo que los tantos por ciento suman más del 100%. En este caso las opciones mayoritarias han sido buscando errores y mejorando el diseño. En este apartado cabe destacar que ninguno ha seleccionado la opción de "Ninguna" con lo que podemos interpretar que se ha plantado en todo el alumnado la motivación de participar en el desarrollo del Software libre.

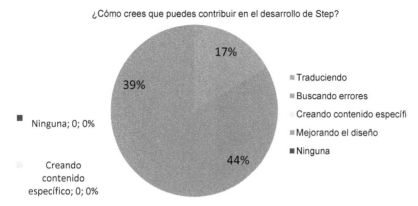

¿Cómo crees que puedes contribuir en el desarrollo de Step?

- Traduciendo
- Buscando errores
- Creando contenido específi
- Mejorando el diseño
- Ninguna

17%

39%

Ninguna; 0; 0%

Creando contenido específico; 0; 0%

44%

Ilustración 5: Reflexión del alumnado sobre cómo cree que puede contribuir a mejorar Step.

4.2. Análisis de Kig, aplicación para el estudio de la geometría bidimensional.

Un total de 19 alumnos participaron en la realización de estos cuestionarios, en este caso al alumnado de 4º de ESO se sumaron un pequeño grupo de 3º de ESO.

En primer lugar, vemos que en general el alumnado se muestra bastante motivado a la hora de utilizar Kig (48%), siendo esta motivación indistinta según los cursos.

Valora tu motivación a la hora de utilizar Kig

- Nada motivado
- Poco motivado
- Indiferente
- Motivado
- Muy motivado

9,38%

4,73% 4,73%

32,86%

48,30%

Ilustración 6: Valoración de la motivación del alumnado a la hora de utilizar Kig.

Respecto a la dificultad en general el alumnado encuentra la aplicación con un nivel de dificultad fácil (63%), no apareciendo nadie al que le parezca muy difícil.

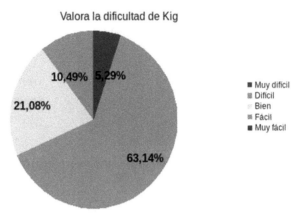

Ilustración 7: Valoración de la dificultad de Kig.

Finalmente, en el aspecto sobre la mejora de comprensión de conceptos geométricos, el 73% del alumnado considera que ha aumentado su dominio sobre ellos, un 21% que lo han hecho menos de lo esperado y solo un 5 % no han experimentado mejora.

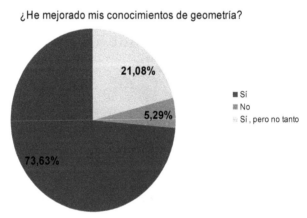

Ilustración 8: Reflexión del alumnado sobre su mejora en conocimientos de geometría después de utilizar Kig.

Pasando a la segunda parte del estudio de *Kig* nos encontramos con el alumnado ha propuesto, igual que en el caso anterior, unas 20 mejoras, entre las que destaca de nuevo el apartado visual. En este caso el alumnado ha demandado video-tutoriales para entender mejor el sistema a la hora de realizar de algunas acciones.

Por otra parte, la segunda pregunta clave era a la que podían seleccionar múltiples opciones, por lo que los tantos por ciento suman más del 100%. A la pregunta de "¿Cómo crees que puedes contribuir en su desarrollo?" de nuevo la opción mayoritaria han sido buscando errores y de nuevo cabe destacar que ninguno ha seleccionado la opción de "Ninguna" con lo que podemos interpretar que se el alumnado se ve capacitado para participar en el desarrollo.

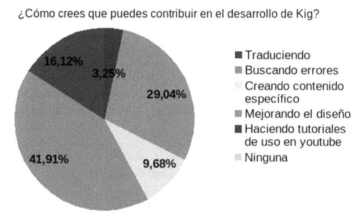

Ilustración 9: Reflexión del alumnado sobre cómo cree que puede contribuir a mejorar Kig.

4.3. Análisis de KAlgebra, la calculadora analítica y visual.

Un total de 10 alumnos participaron en la realización de estos cuestionarios.

En primer lugar, vemos que en general el alumnado se muestra mayoritariamente motivado a la hora de utilizar KAlgebra (40%), superando por poco a los indiferentes (30%).

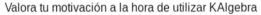

Valora tu motivación a la hora de utilizar KAlgebra

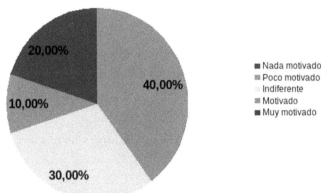

- Nada motivado
- Poco motivado
- Indiferente
- Motivado
- Muy motivado

Ilustración 10: Valoración de la motivación del alumnado a la hora de utilizar KAlgebra.

Respecto a la dificultad, en general el alumnado encuentra la aplicación con un nivel de complejidad alta. Este factor puede ser debido a su simple interfaz que no aporta elementos gráficos característicos de una calculadora como un teclado.

Valora la dificultad de KAlgebra

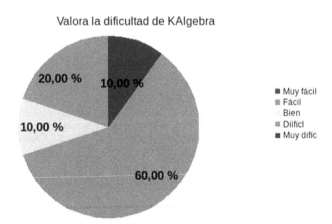

- Muy fácil
- Fácil
- Bien
- Diificl
- Muy dific

Ilustración 11: Valoración de la dificultad de KAlgebra

Finalmente, en el aspecto sobre la mejora de comprensión de conceptos algebraicos, la gran mayoría del alumnado considera que no ha aumentado su dominio sobre ellos tanto como lo esperado.

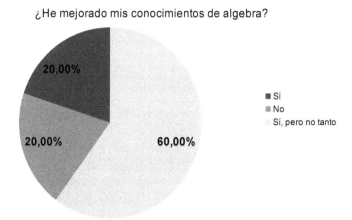

¿He mejorado mis conocimientos de algebra?

20,00%

20,00%   60,00%

■ Sí
▩ No
⬡ Sí, pero no tanto

Ilustración 12: Reflexión del alumnado sobre su mejora en conocimientos de geometría después de utilizar KAlgebra.

Pasando a la segunda parte del estudio de KAlgebra nos encontramos con el alumnado ha propuesto unas 10 mejoras, entre las que se desprenden la necesidad de mejorar el apartado visual.

Para finalizar las aplicaciones, a la pregunta de "¿Cómo crees que puedes contribuir en su desarrollo?" de nuevo la opción mayoritaria ha sido "buscando errores", aunque casi al mismo nivel nos encontramos el de "mejorar gráficamente la aplicación" De nuevo cabe destacar que ninguno ha seleccionado la opción de "Ninguna".

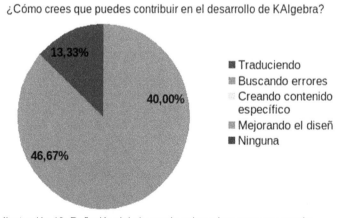

¿Cómo crees que puedes contribuir en el desarrollo de KAlgebra?

13,33%

40,00%

46,67%

■ Traduciendo
▨ Buscando errores
⬡ Creando contenido específico
▩ Mejorando el diseñ
■ Ninguna

Ilustración 13: Reflexión del alumnado sobre cómo cree que puede contribuir a mejorar KAlgebra.

Para finalizar las aplicaciones, a la pregunta de "¿Cómo crees que puedes contribuir en su desarrollo?" de nuevo la opción mayoritaria ha sido "buscando errores", aunque casi al mismo nivel nos encontramos el de "mejorar gráficamente la aplicación" De nuevo cabe destacar que ninguno ha seleccionado la opción de "Ninguna".

4.4. Análisis del reporte de errores

Para finalizar, el reporte de errores nos indica que, al alumnado, en general, no le motiva en exceso realizarlos, lo cual puede estar relacionado por la dificultad que parece que les supone hacerlo, como queda patente al responder la segunda pregunta del cuestionario donde más del 50% indican que les supone un proceso complicado. Una de las mayores dificultades destacadas por el alumnado se centra en el idioma, ya que estos reportes deben realizarse en inglés.

Por otra parte, hay que destacar que todo el alumnado considera que sus aportaciones pueden ayudar a los desarrolladores y que en el momento de redactar el presente artículo algunas de sus aportaciones están siendo tratadas por diferentes desarrolladores.

5. Conclusiones

En general la experiencia realizada ha sido positiva, siendo lo más destacable es que en todas las aplicaciones trabajadas el alumnado ha manifestado que ha mejorado sus conocimientos de forma autónoma mucho o bastante, cumpliéndose el objetivo general de obtener una mejora del proceso enseñanza-aprendizaje en el alumnado.

En parte, esta mejora ha llegado gracias al uso de las aplicaciones libres Step, Kig y KAlgebra, aunque probablemente otra parte del éxito ha sido logrado gracias al aprendizaje cooperativo entre iguales, es decir, el que se ha producido entre el alumnado. Se ha observado mucha interacción entre ellos a la hora de resolver las dificultades que la aplicación y las actividades les planteaban, compartiendo la información obtenida.

Respecto al objetivo de de iniciar el establecimiento de mecanismos de comunicación efectivo entre alumnado, profesorado y desarrollador se puede afirmar que se ha conseguido, aunque no en las cotas deseables. El alumnado ha sido capaz de utilizar las vías de comunicación de los desarrolladores, pero no se mostraba demasiado cómodo. Entre las mayores dificultades encontradas destacan el del idioma, ya que todos los reportes de errores se deben realizar en inglés, algo que al alumnado les produce respeto.

En este punto hay que destacar que el alumnado, en general, está muy alejado de los procedimientos de comunicación entre desarrolladores, los cuales trabajan basándose en herramientas de comunicación estrictas como formularios o correos electrónicos, formatos que el alumnado apenas utiliza. De esta forma, concluimos que se debería buscar otra vía para establecer cauces de comunicación o para mejorar los existentes.

Al finalizar el proyecto se puede afirmar que todas las aplicaciones, en mayor o menor medida, han conseguido mejorar el aprendizaje significativo del alumnado. En este apartado destacar que la motivación ha sido clave para conseguir este aprendizaje y, por lo tanto, la aplicación con la interfaz más espartana, que es el caso de KAlgebra, es la que menos motivación genera mientras que las más elaboradas como Kig o Step, provocan mucho más interés y, por tanto, mejores aprendizajes.

No obstante, según el alumnado todas las aplicaciones necesitan mejoras visuales y así se lo han demandado a los desarrolladores en muchas propuestas de mejoras.

A lo largo de todo el proyecto se ha fomentado el uso de las aplicaciones de forma autónoma con intervenciones mínimas del profesorado. Aún con esta escasa intervención del profesado el resultado ha sido que el alumnado ha conseguido completar todas las actividades con un alto grado de eficiencia, con lo que podríamos afirmar que se ha conseguido potenciar la competencia clave de Aprender a aprender, mejorando así el autoaprendizaje del alumnado.

Por otra parte, ha resultado sorprendente que solo un 50% del alumnado está interesado en aparecer en los títulos de crédito de las aplicaciones. Este hecho ha resultado algo no esperado y digno de posteriores análisis.

5.1. Limitaciones y futuras líneas de actuación

En este proyecto de innovación tecnológica la mayor limitación viene dada por la poca representatividad de la muestra, ya que la cantidad de alumnado que ha podido participar en la experiencia no es muy elevada. De esta forma, una posible línea de mejora sería ampliar el espacio muestral con experiencias en otros institutos o realizar un seguimiento a lo largo de un par de años.

Por otra parte, otra dificultad habitual en este tipo de experiencias suele ser que a la hora de realizar la innovación el alumnado muestra más interés cuando lo realiza una persona ajena a su proceso de enseñanza-aprendizaje diario. Sería interesante ponerse en contacto con los desarrolladores para que, si fuera posible, realizaran visitas a los Centros para humanizar todavía más las aplicaciones y aumentar de esta forma la motivación del alumnado.

También es importante destacar que cualquier proyecto innovador tiene un periodo de adaptación que en este caso no se ha tenido en cuenta a la hora de evaluar los resultados. En otras palabras, una actividad nueva para el alumnado que les saque de la zona de confort habitual proporciona en un principio

En una futura línea de actuación se podrían desarrollar los siguientes apartados:

- Creación de un dossier a modo de instrucciones claras, concisas y de dificultad creciente sobre la utilización básica de las aplicaciones. Esto responde al hecho de que con solo la explicación del profesor en la fase 1 parece ser insuficiente para algunos de los alumnos. Estos alumnos son los que menos motivación han mostrado a la hora de trabajar con las aplicaciones.

- Hacer más amplia la base de estudio, repitiendo el estudio a otros centros educativos, en los que quizás sería necesario ampliar la fase 1 ya que los alumnos que han realizado este estudio ya estaban un poco familiarizados con este tipo de Software.

- Creación de un canal de comunicación directo entre desarrolladores y alumnos, preferiblemente en español, más adecuado a las costumbres del alumnado, los cuales prefieren aplicaciones de mensajería móvil.

- Hacer partícipes a los desarrolladores organizando visitas a los centros, organizando algún taller de iniciación con el alumnado, con lo que lograríamos mejorar la motivación del alumnado y la implicación de los desarrolladores.

- Ampliar el tiempo de utilización de las aplicaciones, ya que algunos alumnos lo han demandado al finalizar el uso de las mismas.

- Vincular más y mejor las aplicaciones en varias asignaturas adyacentes como Tecnología o Educación Visual y Plástica, en las que se podría utilizar para ejercicios geométricos.

- Ampliar el campo de estudio a otras disciplinas curriculares utilizando otras aplicaciones educativas de KDE Edu como Kalzium para el aprendizaje de la tabla periódica y de las propiedades químicas o Marble para Geografía e Historia.

Referencias bibliográficas

Adell, J., & Bernabé, Y. (2007). Software libre en educación. En J. Cabero Almenara, Tecnología educativa (pp. 173-195). Madrid: McGraw-Hill.

Alvarado, F., y Miguel, P. (2018). Impacto del Software libre educativo, en la resolución de problemas con fracciones, en el área de Matemática de los estudiantes de octavo año de educación General básica (Tesis doctoral). Facultad de Filosofía, Letras y Ciencias de la Educación. Universidad de Guayaquil.

Castaño, J. A. M. (1999). Virus en Linux. Linux Actual: la primera revista en castellano del sistema operativo Gnu/Linux, 1 (8) ,12-15.

Castells, M. (2018). Internet, libertad y sociedad: una perspectiva analítica. Polis Revista Latinoamericana, 4. Recuperado de http://journals.openedition.org/polis/7145

Contreras, J. P. (2006) . Software libre: libertad, cooperación y educación. Gobierno digital, 7, 24-30

Cobo, J. C. (2009). Conocimiento, creatividad y Software libre: una oportunidad para la educación en la sociedad actual. UOC Papers: Revista Sobre La Societat Del Coneixement, 8, 1-8.

Córdoba Hernández, J. (2018). Software libre en el sector salud. Horizonte Sanitario, 7 (2), 4-7.

Council Of The European Union (2007, 25 de mayo). Council conclusions on a coherent framework of indicators and benchmarks for monitoring progress towards the Lisbon objectives in education and training. Recuperado el 15 de marzo de 2009 de http://register.consilium.europa.eu/pdf/en/07/st10/st10083.en07.pdf

Decreto 51/2018, de 27 de abril, del Consejo, por el que se modifica el Decreto 87/2015, por el que establece el currículo y despliega la ordenación general de la educación secundaria obligatoria y del bachillerato en la Comunidad Valenciana. Valencia, de 27 de abril de 2018

Decreto 87/2015, de 5 de junio, del Consejo, por el que establece el currículo y desarrolla la ordenación general de la Educación Secundaria Obligatoria y el Bachillerato en la Comunidad Valenciana. Valencia, de 5 de junio de 2015

eReuse (2018). Projecte eReuse: fent recircular els ordinadors Recuperado el 27 de enero de 2019 de http://opcions.org/agrada/ereuse/

KAlgebra (2019). The KDE Education Project – KAlgebra. Recuperado el 28 de enero de 2019 de https://edu.kde.org/KAlgebra/

Kalzium (2019). The KDE Education Project – Kalzium. Recuperado el 28 de enero de 2019 de https://edu.kde.org/kalzium/

KDE (2019). KDE Community. Home. Recuperado el 4 de enero de 2019 de http://kde.org

KDE Edu (2019). The KDE Education Project. Recuperado el 4 de enero de 2019 de http://edu.kde.org

Kig (2019). The KDE Education Project – Kig. Recuperado el 28 de enero de 2019 de https://edu.kde.org/Kig/

Luz, C. G. M. (2018). Educación y tecnología: estrategias didácticas para la integración de las TIC. Madrid: Editorial UNED.

Marble (2019). The KDE Education Project – Marble. Recuperado el 28 de enero de 2019 de https://marble.kde.org/

Mas, J. (2005). Software libre: técnicamente viable, económicamente sostenible y socialmente justo. Barcelona:Infonomia

Moravec, J. (Noviembre de 2009). From automatons to knowmads: Redesigning education for the 22nd century. Conferencia llevado a cabo en Education Futures, NL, Amsterdam.

Peñaloza, K. J., & Pinos, K. A. (2018). Las TIC como herramienta de motivación de aprendizajes dentro del aula (Tesis doctoral). Universidad de Cuenca, Cuenca.

Raymond, E. (2000). Breve historia de la cultura hacker. Recuperado de http://culturainformatica.es/descargas/articulos/Breve%20historia%20de%20la%20cultura%20hacker.pdf

Reciclanet (2018). Recilanet.org. Recuperado el 15 enero de 2018 de https://www.reciclanet.org/

Requena, S. H. (2008). El modelo constructivista con las nuevas tecnologías: aplicado en el proceso de aprendizaje. RUSC. Universities and Knowledge Society Journal, 5 (2), 26-35.

Rodríguez Galván, J. R. (2017). Maxima con wxMaxima: Software libre en el aula de matemáticas.[pdf] Oficina de Software Libre de la Universidad de Cádiz. Departamento de Matemáticas de la Universidad de Cádiz. Recuperado el 18 de octubre de 2018 de https://rodin.uca.es/xmlui/bitstream/handle/10498/18931/guia_wxmaxima.pdf

Salas, M. A., & Subía, J. C. S. (2018). M-Learning-una experiencia colaborativa usando el Software Telegram. Revista Científica Retos de la Ciencia, 2 (1), 85-94.

Stallman, R. (2002) Software libre para una sociedad libre. Recuperado de https://biblioweb.sindominio.net/pensamiento/softlibre/

Stallman, R. (2016). El Software libre en la ética y en la práctica. [Video file]. Recuperado de https://www.youtube.com/watch?v=XoOt9iRN9MA

Step (2018). The KDE Education Project – Step. Recuperado el 28 de enero de 2019 de https://edu.kde.org/Step/

Ventura, B (2012). Para Google y Facebook el negocio eres tú. Recuperado el 14 de mayo de 2012 de https://www.yorokobu.es/para-google-y-facebook-el-negocio-eres-tu/

Wang, P. S. (2018). Mastering Modern Linux. Boca Raton, EE.UU: Chapman and Hall/CRC.

Wolf, G. (2018). El vínculo entre Software libre, acceso abierto y ciencia abierta. [Video file]. Recuperado de http://www.unamenlinea.unam.mx/eventos/oaw2018-Software-libre-acceso-abierto-ciencia-abierta

Zurita Sánchez, J. M. (2008). Software libre: una alternativa para la gestión de información en bibliotecas. Revista Iberoamericana de Sistemas, Cibernética e Informática, 5 (1), 7-13.

CAPÍTULO III

ENTORNOS DIGITALES, PROCESOS COMUNICATIVOS Y RELACIONES PEDAGÓGICAS: APORTES HERMENÉUTICOS DESDE EL TWITTER EN EL ESCENARIO DE LA EDUCACIÓN SUPERIOR

Dr. Juan Diego Hernández Albarracín

Universidad Simón Bolívar, Colombia

Msc. Jose Joan Garavito Patiño

Universidad Simón Bolívar, Colombia

Msc. Ricardo Alexis Torrado Vargas

Colegio Antonio Nariño, Colombia

Resumen

Se establece una relación de contemporaneidad entre el sujeto, las redes sociales y la comunicación, especificando la importancia de Twitter como nueva ágora de expresión política que conmina a la práctica pedagógica a asumir diálogos con plataformas que, trascendiendo el divertimento, suscitan un mundo de vida comunicativo de significativa utilización en los entornos escolares. En consecuencia, y esperando complejizar la práctica de la escritura, se recogen las percepciones estudiantes de primer semestre de Derecho y Trabajo Social de una universidad privada en el municipio de Cúcuta (en Colombia) con el objeto de discutir las implicaciones filosóficas y pedagógicas que propician los entornos digitales en el marco del ejercicio ciudadano crítico. La metodología cualitativa diagnostica, mediante una encuesta etnográfica, las valoraciones, creencias y prácticas en relación con las redes sociales, realizando su posterior lectura en clave hermenéutica para delinear una propuesta que abra nuevos sentidos en la relación contemporánea entre el sujeto, las redes sociales y la pedagogía a partir del Twitter como expresión dialógica de los entornos digitales.

Palabras clave

Pedagogía, Subjetividad, Diálogo, Redes sociales, Política

1. Introducción

Uno de los principales desafíos para el sistema educativo Colombiano parte del reconocimiento de las dificultades en las competencias de lectura y escritura de los estudiantes en diversos niveles, lo mismo que su escaso disfrute por estas prácticas como parte de sus escenarios de vida en la cotidianidad. Así, las cifras de la Encuesta Nacional de Lectura en Colombia 2018, indican que el promedio de libros leídos en el país es de 5.1, deficiencia que explica las habilidades de comprensión respecto a esta práctica y que hace necesario desarrollar alternativas para potenciarla. Respecto a la escritura, la encuesta muestra que al 34% le gusta escribir, al 37% le es indiferente y cerca del 30 % no siente ninguna empatía por este ejercicio[1].

Más allá de las estadísticas, esta primera tesis presenta aristas que vuelven rizomáticos los desafíos de enseñanza de la escritura, marcados por relaciones orbitadas por la cultura, la historia, la experiencia de vida y las dinámicas políticas, haciendo indispensable reflexionar sobre esta sintomatología para encontrar la enfermedad que insta la caída del sujeto en los automatismos de los regímenes de dominación. Se precisa desestructurar los sentidos comunes de la razón pedagógica, cuestión que no es substancialista, al ser un ejercicio de resistencia enmarcado en una contención que al ser reflexiva, es también creativa (Barrio, 2015). Este ejercicio filosófico no brinda fórmulas orientadas a resolver el problema lecto-escritor, pero propone una hermenéutica de resistencia que hace confluencia de fuerzas en orden a desentrañar experiencias que ataquen el logos hegemónico desde los dispositivos de control que le son propios.

Por lo anterior, es indispensable abrir lo que Starobinsky llamaría Telefismo[2], en sentido de utilizar aquello que en principio es automático y servil a los regímenes de dominación para subjetivar al sujeto, como una forma

---

[1] Fuente consultada: DANE, 2017, disponible en: https://www.dane.gov.co/index.php/estadisticas-por-tema/cultura/encuesta-nacional-de-lectura-enlec

[2] El astrofísico ruso Alexei Starobinsky propone el telefismo para dar cuenta de las formas como el desequilibro puede equilibrarse con elementos de sí mismo. Así, contrarrestar la actuación esquizofrénica capitalista precisa de una dosis mayor de esquizofrenia que desterritorialice el paradigma dominante. En tal sentido y "siguiendo en este punto a Rousseau, nos recuerda que todo equilibrio sólo es posible a través de la recuperación de un desequilibrio o perturbación". (Medina, 2015, pp. 26 - 27)

de resistencia, entendiendo sobretodo que son desafíos que no pueden pasarse por alto3 en la actual encrucijada tecnológica de donde surgen el nativo y el inmigrante digital, sujetos que habitan mundos diferentes en los mismos espacios de aprendizaje, lo que genera un reto para que el saber y los ejercicios de enseñanza superen la unidimensionalidad y hagan experiencia de la multiplicidad.

En consecuencia, este trabajo hace una reflexión sobre las redes sociales vistas como plataformas comunicativas poco exploradas por la reflexión pedagógica, esto desde una racionalidad crítica en los sentidos de la búsqueda existencial y la práctica política. A este respecto resultaron útiles trabajos

---

3 Sobre este aspecto, es importante revisar el conjunto de políticas unas en operación y otras venideras, que desde una escala global ubicando la tecnología, los entornos digitales y la educación virtual como centro de la experiencia tanto de la enseñanza como de los aprendizajes, por lo que "la Comisión Económica para América Latina y el Caribe de las Naciones Unidas (CEPAL), por ejemplo, impulsa la adopción de una agenda digital –eLAC2018–, orientada a distintas áreas de la economía, entre ellas al desarrollo de contenidos y aplicaciones. Por otro lado, la Comunidad de Estados Latinoamericanos y Caribeños (CELAC) promueve el Plan de Acción Cultural 2015-2020, que subraya la necesidad de garantizar la libre manifestación de la diversidad de las expresiones culturales en Internet (…) La Carta Cultural Iberoamericana –instrumento creado en 2006 por iniciativa de la Organización de Estados Iberoamericanos para la Educación, la Ciencia y la Cultura (OEI) para favorecer una mayor articulación y una mejor cooperación entre los países de la región– reafirma explícitamente los principios de la Convención 2005 y menciona en reiteradas ocasiones la cuestión tecnológica. En particular, el documento llama a "promover el desarrollo y la utilización de las nuevas tecnologías como oportunidades de creación, producción, difusión y promoción de bienes y servicios culturales, así como su contribución a la formación de nuevos públicos y al intercambio cultural entre los países". A diez años de la adopción de la Carta Cultural, estos objetivos siguen vigentes y se plasman hoy en el proyecto de Agenda Cultural Digital para Iberoamérica impulsado por la Secretaría General Iberoamericana (SEGIB), con apoyo de la OEI. En el artículo 14 de la Declaración de Veracruz –emitida en 2014, en el marco de la XXIV Cumbre Iberoamericana, que llevó como título "Educación, innovación y cultura en un mundo en transformación"– se recomienda: *"encargar a la SEGIB y a la OEI, en coordinación con los países miembros y con el grupo de trabajo permanente adoptado en la XVII Conferencia Iberoamericana de Ministros de Cultura, que articule la puesta en marcha de la Agenda Digital Cultural para Iberoamérica que contribuirá a la consolidación del espacio cultural iberoamericano y su inserción en las redes mundiales de información"(Kulesz, 2017, p.13).* Lo cual hace imposible o al menos, complicado y poco práctico, escaparse de tales disposiciones que inextricablemente tendrán que pasar por la racionalidad escolar.

como el de Fanholc (2011), quien reflexiona el posible protagonismo formativo del Twitter4 en la contemporaneidad, lo cual guarda consonancia con las investigaciones de Bandera y Ortega (2011) quienes proponen utilizarlo como elemento didáctico a partir de la experiencia con estudiantes de pedagogía. Por su parte Rodriguez y Restrepo (2015) reflexionan las potencialidades de esta red social para el ejercicio en el campo educativo, tal como Aguirre (2013) sobre alcances de participación política en redes sociales, y Ayala (2014) sobre redes sociales, poder y participación ciudadana. Estos aportes permitieron extrapolar el necesario vínculo entre estas expresiones y la generación de ciudadanía crítica, favoreciendo en el mundo escolar comprensiones sobre fenómenos apremiantes de nuestra contemporaneidad.

Se presentan pues dos fenómenos de urgente reflexión al interior de la trama escolar: el primero, que concibe al entorno digital como un "útil", esto es, como un espacio más al interior de otros para acelerar el envío de información y la efectivización de los procesos de la administración escolar5; y el segundo, desde una lógica escéptica que considera tales entornos como perjudiciales para el desarrollo intelectual del estudiante. La tarea del formador es estar atento a tales dimensiones enajenantes que dificultan los

---

4 Es una red social creada en 2006 en San francisco – California que comienza bajo una idea sencilla: transmitir a un grupo de personas lo que hacían a cada momento por medio de mensajes cortos (microblogging), estableciendo la premisa "que estás haciendo" para luego transformarse en el hasta ahora lema inicial "que está pasando", lo que configura al twitter como un medio de expresión no tan sólo de la vida cotidiana, sino de la experiencia política de una comunidad que quiere informar y ser informada en tiempo real, a traves de mensajes denominados Trinos (Tweets) que "tienen una característica bastante significativa, ya que solamente se permite escribir un máximo de 140 caracteres por cada mensaje; así pues, las personas que quieren expresar algo, lo deberán hacer de manera breve y concisa" (Fernández, 2013, p. 167 y 168).

5 Así por ejemplo los ejercicios, muy valiosos en su momento, sobre web 2.0 que intentaban otorgar pedagógicamente un viraje al ritmo educativo, terminaron convirtiéndose en extensas jornadas de capacitación de un saber especifico que llevaba a maestros y estudiantes a un lugar igual disciplinario y reglamentado, aunque pragmático y económico, debido a que "las herramientas de la Web 2.0 pueden ser aprovechadas con una ventaja competitiva para trabajar en forma colaborativa, ya que son plataformas gratuitas y accesibles, que favorecen la motivación y el interés de los estudiantes al momento de buscar estrategias que beneficien su aprendizaje (...) Tras la innovación en las universidades españolas, se ha incluido como asignatura las redes sociales; (...) La intención de la asignatura titulada Ciencia de redes es abarcar un amplio estudio sobre los usuarios de la Web 2.0 y sus comportamientos. Así, estas universidades se han convertido en las pioneras de países de habla hispana con la iniciativa de analizar desde el punto de vista pedagógico estas herramientas. También se pretende que, a través de tesis doctorales o proyectos de carrera, se logre una generación de patentes y una base sólida sobre la cual seguir investigando el impacto de las redes sociales" (Islas y Carranza, 2011, p. 2)

aprendizajes, con lo que enfrenta las posiciones más utilitarias del pedagogicismo tecnocrático preocupado por la corrección de la conducta. Estos son dos rasgos complementarios de lo que Marc Prensky llama la influencia de Inmigrantes digitales6 en la formación escolar.

Tal estado de la cuestión, conmina a encontrar cierta ramificación alternativa que no la reduzca al nivel de la herramienta, pero que tampoco excluya sus potencias del entramado escolar. Por esto, se necesita explorar valoraciones, prácticas, creencias y preocupaciones al respecto del emergente mundo digital que se hace entorno desde el despliegue frenético de la comunicación social. El interés particular sobre Twitter se debe a su capacidad para despertar en los sujetos preocupaciones sobre su vida política y materializar formas de expresión más distendidas y contemporáneas que hagan del ejercicio escritural una aventura digital que enriquezca y complejice su mundo de vida.

En razón de lo anterior, se discuten las implicaciones filosóficas y pedagógicas que propician los entornos digitales, especialmente el Twitter como un contralugar que pone a dialogar la reclusión, expulsión y retorno para combatir los automatismos devenidos de los regímenes de dominación; pero también se diagnóstican valoraciones, creencias y prácticas, reflexionando en orden a proponer una forma de expresión en la que el Twitter, como expresión dialógica de los entornos digitales, sea parte de las iniciativas alternativas de formación en procesos comunicativos de lectura y escritura al interior del escenario universitario en el que se suscribe la investigación.

2. Metodología

El método se sustenta en el paradigma dialógico, dado que entiende "que el conocimiento es una creación compartida a partir de la interacción entre el investigador y el investigado, en la cual, los valores median o influyen la generación del conocimiento" (Sandoval, p. 29), por esto se trabajó una metodología cualitativa que se concentró en generar consideraciones acerca de la relación entre entornos digitales, subjetividad y pedagogía; partiendo de las percepciones sobre las redes sociales, en particular del Twitter, como dimensión tecnológica que puede potenciar la vida política y los ejercicios

---

6 Son todos aquellos que no han nacido propiamente en la era digital, que hijos de otros tiempos, ven con desconfianza o extrema ligereza las facultades que otorgan los emergentes medios tanto para el trabajo pedagógico como para el desenvolvimiento social. Pareciendo no valorar "suficientemente las habilidades que los Nativos Digitales han adquirido y perfeccionado año tras año a través de interacción y práctica, y prefieren moverse dentro de lo que les es conoci- do en virtud de su forma de aprender -que es también la forma en que los enseñaron a ellos-(Prensky,2010, p.6)

democráticos de la ciudadanía. La técnica fue la encuesta etnográfica, debido a que era determinante orientar la identificación de "algunos temas culturales de base, que van a facilitar el trabajo de mapeo de situaciones y el inventario de actores" (Sandoval, 139) para conocer sus prácticas, valoraciones y creencias frente a formas de la comunicación que se han vuelto masivas gracias a las redes sociales, facilitando una hermenéutica relacional, entendida desde Ricoeur (1990) como "la teoría de las reglas que gobiernan una exegesis, es decir, una interpretación de un texto particular o colección de signos susceptible de ser considerada como un texto" (p. 12).

Los sujetos de estudio fueron estudiantes de una universidad privada de la ciudad de Cúcuta, en Norte de Santander, Colombia, pertenecientes al primer semestre de los programas académicos de Derecho y Trabajo Social, esto dada la mayor afinidad de dichos programas con elementos conceptuales y prácticos de la vida política en relación con otros programas ofertados por la institución, los cuales correspondían a las ciencias económicas y administrativas y a las ingenierías. Cabe aclarar que las lecturas reflexiones y propuestas no son exclusivas para los campos de las ciencias sociales, ya que todas las ciencias se suscriben al ejercicio ciudadano y orbitan alrededor de las discusiones políticas de sus momentos históricos. Considerando el criterio expuesto, se seleccionaron 74 estudiantes mediante muestreo no probabilístico por cuotas, el cual, según Rodríguez (1996), determina a quienes se van a encuestar en términos de variables sociales, políticas o económicas que se constituyen en parámetros poblacionales. La edad de los sujetos se encontraba entre los 17 y 26 años de edad.

En consecuencia, se articularon los pasos de la encuesta etnográfica: selección de un proyecto, planteamiento de las preguntas concernientes al proyecto y recolección de datos (Sandoval, 2006) cuya data fue consignada en la matriz de coherencia y conexión para la percepción (MACCPE).

Tabla 1: Matriz de coherencia y conexión para la percepción. Fuente: Elaboración propia.

Matriz de coherencia y conexión para la percepción (MACCPE)				
Categoría de análisis	Tipo de pregunta	Pregunta	% de respuesta	Interpretación cualitativa de la respuesta
Son posiciones teóricas trabajadas en la discusión, que permitieron construir las preguntas y reflexionar sobre las respuestas.	Especificación acerca de la naturaleza de la pregunta: descripción o percepción, ya comentadas durante la exposición de la metodología.	Estructuras de indagación.	Hace referencia a la obtención porcentual de cada pregunta.	Es el ejercicio surgente para habilitar interpretaciones que se desprenden de las categorías analíticas para pensar las respuestas en función de organizar las percepciones de los estudiantes y relacionarlas con la discusión.

Se presenta a continuación, de modo más específico, el modo en el que se relacionan las premisas (posiciones teóricas), las categorías de análisis y las preguntas formuladas, de manera que sea comprensible la intención de estas últimas y las maneras en que posibilitaron la discusión posterior durante el desarrollo del ejercicio interpretativo.

Tabla 2: Matriz de organización e interpretación categorial. Fuente: Elaboración propia.

Relación entre las premisas teóricas y las categorías teóricas que orientaron la elaboración de las preguntas de la encuesta etnográfica.		
PREMISAS	CATEGORÍA DE ANÁLISIS	SUBCATEGORÍAS
Los tiempos y lugares contemporáneos donde se lee y se escribe, sumen al sujeto en los automatismos de la razón pedagógica dominante o su resistencia para escapárseles.	Necesidad de la lectura.	Tiempo dedicado a leer.
Las redes sociales son plataformas comunicativas inexploradas por la reflexión pedagógica desde una racionalidad crítica en función de la práctica política. Los entornos digitales son contralugares en donde se tejen relaciones que pueden combatir los automatismos devenidos de los regímenes de dominación.	Propósito de las redes sociales para la ciudadanía.	Utilidad de las redes sociales para el ciudadano.
		Objetivo de las publicaciones en redes (por parte del ciudadano)
		Red social usada con mayor frecuencia.
		Obtención de información sobre conflicto binacional.
Las redes sociales, en su condición inicial de medio automático y servil, son mecanismos que los regímenes de dominación utilizan para subjetivar al sujeto.	Ejercicio de poder y redes sociales.	Confiabilidad de las redes sociales.
		Manipulación de los medios masivos de comunicación.
		Libertad de expresión en redes sociales.
Las redes sociales son espacios que mediante el uso intencionado de la información, efectivizan los procesos de la administración de los saberes, eliminando los sentidos de la sospecha y enajenando el ejercicio ciudadano crítico a partir de intereses dominantes.	Configuración de realidades desde las redes sociales.	Polarización de posturas.
Las redes sociales son una oportunidad de crear producir y difundir bienes y servicios culturales, configurando nuevos públicos y diversos intercambios culturales.	Redes sociales y actividad política.	Redes y trabajo político

Se presentan entonces las preguntas planteadas en relación con las categorías teóricas:

Tabla 3: Matriz de cohesión entre categorías y proceso. Fuente: Elaboración propia.

Relación de las preguntas con las categorías teóricas.			
		TIPO DE ÍTEM	
CATEGORÍA DE ANÁLISIS	PREGUNTA (ÍTEM)	LIKERT	SELECCIÓN DE RESPUESTA
Necesidad de la lectura	En promedio ¿Cuántas horas semanales dedica a la lectura?		X
Propósito de las redes sociales para la ciudadanía	Piensa usted que las redes sociales sirven para:		X
	Generalmente las publicaciones que usted realiza:		X
	De las siguientes redes sociales usted utiliza con más frecuencia:		X
	Haciendo referencia a los más recientes fenómenos políticos entre Colombia y Venezuela, usted se informa a partir de:		X
Ejercicio de poder y redes sociales	Las informaciones provenientes de las redes sociales son en su mayoría confiables.	X	
	Los medios masivos de comunicación tradicionales (radio, prensa y televisión) generan agendas de manipulación según sus propios intereses.	X	
	Para usted la libertad de expresión es:		X
	La condición de libre uso de las redes sociales no garantiza la libertad de expresión.	X	
	Los medios de comunicación tradicionales deberían desaparecer para dar paso a informaciones alternativas que provengan de las redes sociales.	X	
Configuración de realidades desde las redes sociales	Para usted la palabra polarización, tan difundida hoy día en redes sociales:		X
	La polarización es mucho más fuerte hoy debido a las redes sociales.	X	
	Las redes sociales deben ser reguladas por el estado para evitar fenómenos de polarización.	X	
Redes sociales y actividad política	Las redes sociales son indispensables para el trabajo político contemporáneo.	X	

La organización de la data en la matriz expuesta (tabla 1), se hizo indispensable para la interpretación de los hallazgos, describiendo la relación que los sujetos pertenecientes a estos dos programas académicos en Cúcuta tienen respecto a las redes sociales y plantear así, un escenario propositivo que desde el rigor científico permitiese construir espacios de entendimiento con una base aproximada a los estados de la cuestión que constituyen la percepción de los sujetos frente a formas emergentes de la comunicación social, cuestión que despierta la discusión sobre automatismos, subjetividad y pedagogía.

Para dar especificidad a las preguntas que indagan sobre el modo en el que las redes sociales configuran realidades, se optó por incluir el fenómeno de la polarización, lo cual alude al momento político nacional en términos de la fuerza que están cobrando los grupos políticos con proyectos de país diametralmente distintos, los cuales han desplegado estrategias mediáticas en los escenarios democráticos electorales recientes; a este respecto es bastante marcado el uso que tuvo la situación política venezolana por parte de tales grupos, en un intento por incidir en la opinión, utilizando el argumento de que Colombia podría convertirse en una réplica de la experiencia política venezolana si no se adhería a las posturas de los partidos que en las últimas décadas han ostentado el poder. El impacto de tales discursos fue especialmente notable en las ciudades fronterizas, dentro de las que se cuenta como una de las más importantes, la realidad escolar que hace parte del presente estudio.

3. Hallazgos

Se realiza aquí un ejercicio descriptivo a partir de los resultados de la aplicación de la encuesta etnográfica, de manera que se abran posibilidades interpretativas a modo de discusión, esto teniendo en cuenta la relación de las respuestas correspondientes a las categorías de análisis propuestas organizadas en la tabla 2.

En la categoría necesidad de la lectura, el 54% de los estudiantes dice dedicar entre una y dos horas a esta actividad, lo cual, si se toma este rango como dos horas, indicaría que más de la mitad de los estudiantes le dedican en promedio 17 minutos diarios. Si bien la pregunta no inquiere por el formato específico en el que se lee, el dato resulta preocupante en función de las exigencias de formación en educación superior y frente al sistema de créditos académicos, el cual exige énfasis en las actividades de estudio autorreguladas y el uso del tiempo libre en actividades de estudio. En el mismo sentido, el 34% dijo dedicar entre tres y cinco horas, lo que daría un promedio de 42 minutos diarios a la lectura. Así las cosas, cerca del 90% de los participantes muestran una dedicación a las actividades lectoras que difícilmente puede llegar a resultar enriquecedor de sus miradas sobre la realidad en relación con los problemas que le son propios a sus campos de estudio.

Puede que la pregunta anterior esté asociada a la lectura del texto escrito, es decir, del libro en formato físico o digital, por lo que conviene la mirada sobre formas de lectura en otros medios y formatos, lo cual hace parte de las miradas aquí propuestas. Así, en la categoría propósito de las redes sociales para la ciudadanía, los estudiantes expresan que la red social que usan con mayor frecuencia es el Facebook (49%), seguida de Instagram (26%), otras redes (23%) y al final Twitter con solo 2%. Esto es consecuente con la utilidad que le confieren a tales redes, las cuales se asocian principalmente al contacto con amigos y familiares (37%), recibir informaciones de manera rápida (37%) y propiciar espacios de entretenimiento (21%). Tan solo un 5% considera que estas redes son escenarios para generar discusiones de expresión política, lo cual guarda relación con el 2% de estudiantes que afirman utilizar el Twitter con mayor frecuencia. Así las cosas, las redes sociales tienen que ver más con esparcimiento e información rápida que con incidencia política, participación y elaboración de perspectivas respecto a los asuntos propios de la ciudadanía que la educación superior expresa promover. En este sentido, las publicaciones que realizan los sujetos del estudio se relacionan sobre todo con temas de entretenimiento (69%), información personal para sus contactos (15%) y asuntos de la vida privada (7%). Únicamente el 9% enfoca la publicación en redes en temas políticos de actualidad.

El modo en que las redes se asocian al ejercicio ciudadano, o al menos a la adquisición de información a este respecto, es evidente cuando los estudiantes de Derecho y Trabajo Social afirman que adquieren información sobre los recientes fenómenos políticos entre Colombia y Venezuela principalmente a través de páginas Web (38%), redes sociales (21%) y televisión y radio (34%); esto deja por fuera los medios impresos (0%), de los cuales el libro y las revistas especializadas destaca entre los medios de comunicación favorecidos por la academia. Parece ser que los medios masivos de información, que como se vio anteriormente, están más dedicados a la información asociada al entretenimiento, cumplen paralelamente la función de informar a los estudiantes sobre los fenómenos políticos de su momento actual; esto arroja preguntas sobre los juicios que se pueden estar configurando sobre tales realidades y el papel de la academia para ayudar a leerlos.

En cuanto a la categoría de ejercicio de poder y redes sociales el 64% de los estudiantes se encuentra en desacuerdo con que las informaciones provenientes de las redes sociales son en su mayoría confiables, lo cual resulta contrastante con el hecho de que es por ese medio que se informan de las realidades políticas del momento. Por otra parte, el 22% expresa acuerdo y total acuerdo respecto a la confiabilidad de la información devenida de las redes, mientas que solo un 14% muestra desacuerdo; esto guarda concordancia con el hecho de que el 54% de los sujetos expresen acuerdo en que los medios masivos de comunicación tradicionales (radio, prensa y televisión) generan agendas de manipulación según sus propios intereses. Parece ser que la confianza en la información proveniente de los medios masivos se cuestiona, pero siguen siendo los principales medios por los que se adquiere. Un 46% expresa desacuerdo y total desacuerdo respecto a la confiabilidad de la información de las redes sociales, pero ya se mostró que estas siguen siendo los medios por los cuales tal información es adquirida; parece que la desconfianza en estos medios no se ve reflejada en las lecturas a través de otras fuentes, dentro de las que se esperaría que aparecieran aquella favorecidas por las comunidades científicas y académicas.

En esa misma categoría destaca el hecho de que el 54% de los sujetos asocien la libertad de expresión con la posibilidad de decir públicamente todo lo que piensa, y el 26% con la oportunidad para decir cualquier cosa sin ser censurado; así las cosas, las redes parecerían asociarse a ejercicios de libertad en cuanto se abren a decir y permitir decir sin restricciones; esto contrasta con el 19% que asocia la libertad de expresión con un avance en materia de derechos civiles que pone a dialogar las diferencias, lo que acerca dicha libertad más a ejercicios consientes de interacción que a flujos informativos sin aparente intencionalidad política o ejercicio de poder. Tan solo un 1% considera que esta libertad es una estrategia de los gobiernos para controlar las informaciones. Ahora bien, resulta un tanto contradictorio que el 54% considere que la libertad de expresión es decir todo lo que se piensa, pero que decir lo que se piensa mediante las redes no garantiza la libertad de expresión (63% en acuerdo y total acuerdo). El 36% expresa desacuerdo y total desacuerdo en este último sentido. Pese a la fuerza que parecen tener las redes sociales en cuanto medio por el que se informan los estudiantes, el 65% se muestra en desacuerdo con la desaparición de los medios de comunicación tradicionales que abran paso a tales redes; frente a este asunto un 24% expresa acuerdo y total acuerdo, mientras que un 11% muestra desacuerdo.

En cuanto la categoría de configuración de realidades desde las redes sociales, el 49% considera que la polarización, tan difundida hoy día en redes sociales es un proceso natural de la argumentación y confrontación comunicativa, mientras que un 29% lo asocia con un proceso de ataque constante que impide el argumento democrático. En otro extremo un 18% ve en la polarización una capacidad discursiva que poseen algunos grupos para desestabilizar al país, y un 4% un proceso de discursos de odio que evita el avance democrático del mismo. En todo caso el 87% muestra acuerdo y total acuerdo en que la polarización es mucho más fuerte hoy debido a las redes sociales, y un 13% expresa desacuerdo en tal sentido. Frente a este protagonismo de las redes como creadores de opinión que configura realidades, el 70% expresa acuerdo y total acuerdo con que estas deben ser reguladas por el estado para evitar fenómenos de polarización, lo cual parece poner al estado como el ente capaz de controlar objetiva y correctamente los discursos que circulan en la red; respecto a este asunto el 30% expresa desacuerdo (25%) y total desacuerdo.

Frente a la categoría de redes sociales y actividad política, el 85% de los sujetos expresa acuerdo y total acuerdo en que las redes sociales son indispensables para el trabajo político contemporáneo, mientras que solo un

16% está en desacuerdo. Esto parece corresponder con los hallazgos de la categoría anterior, en cuanto se reconoce que las redes no solo mueven información, sino que configuran discursos e inciden en la toma de decisiones propia del ejercicio ciudadano en el país.

4. Discusión

Es determinante abrir una posición conceptual al respecto de lo que Jorge Larrosa llama los automatismos del pensar y hacer, como una suerte de operaciones rápidas que hacemos cuando no es posible retornar a sí para considerar la naturaleza de nuestro hacer técnico. Esta cuestión es determinante al emprender un ejercicio comunicativo como la escritura, pretendiéndolo unidimensional, exacto y simple de la misma manera que operar botones en el antiguo modelo fabril para sacar algún producto terminado; parece revivirse el estilar socio-cultural que muestra Chaplin en Tiempos Modernos, película que traduce en imagen-cine las resonancias de este concepto materializado en un conjunto frenético de acciones "naturales" que ubican la repetitividad como eje estructural de la producción-creación. Al parecer la mayoría de los estudiantes involucrados en la investigación presentan tales características, solo que el apretar tuercas u oprimir botones se expresa una interacción de distancia entre el mundo de vida de los sujetos y el ejercicio escritural.

Es por ello determinante que la escritura se vea como un cierto ejercicio de reclusión, expulsión y retorno, connotando "un pensamiento en el que me vuelvo a mí mismo en un diálogo conmigo presentándole a mi pensamiento objetos invisibles" (Barrio, 2015, p. 114 y 115), dinámica existencial y política que imprime autenticidad comunicativa porque no surge de la inmediatez unidimensional, sino de una necesidad por gobernar las decisiones que componen el pensamiento y la expresión; es allí donde "lo importante no es tanto decir lo que se piensa como *pensar lo que se dice*" (Larrosa, 2017, p.215), asunto que se hace determinante dada la aparente facilidad de las escrituras digitales y el poco esfuerzo de los sujetos para organizar lo que se dice a través de ellas.

Ahora bien, pensar automáticamente puede ser una acción mecánica inofensiva y cotidiana, como cepillarse los dientes, caminar a la universidad o abrir determinado contenido en internet; sin embargo, un Tweet, un estado en Facebook o el comentario de un perfil en otra red social, se convierten en un asunto mucho más serio ya que dice mucho acerca de la relación que el sujeto establece con el mundo. De ahí la urgencia de que la pedagogía reflexione para situar la enseñanza de la escritura sobre entornos en que el sujeto contemporáneo ha creado confianza7, develando con la experiencia formativa los sentidos comunes y el prejuicio tecnológico, arrojando a maestros y estudiantes a un nuevo relacionamiento, menos restrictivo y más dinámico desde ese otro lugar que conforma el escenario digital, debido a que hoy:

> Portales globales como Facebook, Twitter, YouTube e incluso sitios autóctonos como Taringa!se han convertido en canales de difusión e intercambio cultural muy poderosos. Podríamos pensar por ejemplo en el fenómeno de los booktubers: se trata de usuarios –generalmente adolescentes o jóvenes– que comentan libros a través de YouTube y que cuentan con miles de seguidores. Además, en la región crecen los portales de recomendación de libros que –como Entrelecturas o Lecturalia – permiten compartir informaciones (p. 43)

Así, las condiciones abiertas por el mundo digital para afectar las relaciones de conocimiento, educación y comunicación en la subjetividad, son subsidiarias de formas de movilidad distintitas a las concebidas hasta el momento, lo que implica una transformación de los sistemas de ordenamiento escolar y por supuesto, de los sujetos que lo integran. Hay una revolución en marcha que no hemos comprendido, por ello el recelo y la sospecha, brecha que debe cerrarse comunicativa y pedagógicamente entre las expresiones subjetivas de esta encrucijada.

Hannah Arendt mencionaba que existe un lugar sin nombre ni ubicación a donde se va cuando se piensa reflexivamente, es un espacio-tiempo irreconocible que se supera una vez se manifesta aquello pensado con cualquier otra acción. Ese lugar inmaterial de creación tiene que ver con la dimensión digital a la que los sujetos son inextricablemente expulsados, constituyendo potencialmente un espacio de encuentro que comunica tanto a los otros, como a sí mismo, debido a que configura escrituras biográficas sustentadas a partir de preocupaciones, vivencias o anhelos que deben ser observadas con detenimiento para orientarlas y complejizarlas como si tal escritura "viniese a salvar las palabras liberándolas, devolviéndoles esa libertad que les hemos quitado desde que las hemos arrastrado con nosotros, desde que las hemos hecho humanas, demasiado humanas" (Larrosa, 2015, p. 76). En este sentido el papel pedagógico no es la enseñanza de los usos, sino la incitación dialógica para explotar existencial y políticamente los modos de vida al despertar un espacio de libertad donde sea posible narrarse a sí

---

7 Según la Encuesta nacional de lectura (ENLEC)permite tejer esta consideración, pues del 100% de la muestra consultada a 36.338 personas mayores de 12 años, sobre ¿qué escribe?, cerca del 65% menciona que lo hace tanto en redes sociales como por medio de aplicaciones móviles, el restante se distribuye entre documentos de trabajo, académicos y correos electrónicos. Fuente: DANE, 2017. Disponible en: https://www.dane.gov.co/index.php/estadisticas-por-tema/cultura/encuesta-nacional-de-lectura-enlec

mismo ingresando al mundo de los otros desde una ejercitación de la alteridad. Fuera del fetichismo fatuo de hacerse "público", se plantea que existe una potencia interesante, habitante en la necesidad de mostrarse y exponerse al escrutinio de los otros.

El discurso y la práctica pedagógica decolonizada de la razón formativa, busca resistir el lugar de encierro tradicional devenido de narrativas disciplinarias cercadas por muros y normas de conducta para la normalización, transformando las relaciones entre sujetos y espacios con el objeto de resguardar al estudiante para que se quede un poco más ahí, en el lugar donde el abrigo cumple su función más noble; una suerte de arropamiento reflexivo que prepara el ejercicio de expulsión presentado por las dinámicas de la experiencia. Esto implica comprender la situación histórica de los saberes y la afectación por parte de expresiones contemporáneas, como las que propicia la dimensión tecnológica, que diluyen la aparente substancia del sujeto y lo arrojan a la incertidumbre del pocisionamiento8.

Hoy es posible observar cómo la proliferación de redes sociales y plataformas digitales, lejos de ampliar las miras de intervención informativa para potenciar procesos políticos de denuncia social, son garantes del status quo, facilitando las lógicas del control desde el habitar común del entretenimiento y de la acuciosa despreocupación existencial de sí mismo y de los otros. El desafío para la experiencia pedagógica se debe a que ahí radica la lógica telefística, en función de volver aparato de resistencia un dispositivo de dominación, lo que sugiere ejercicios en la subjetividad que habiliten al sujeto a las experiencias de reclusión, expulsión y retorno.

Este trabajo surgió bajo la hipótesis de que Twitter es una plataforma determinante, no únicamente para los procesos políticos, sino también para la emergencia pedagógica que debe escapar de la "enseñanza como trayectoria fija de transmisión y respuesta bajo la tutela de tecnologías disciplinarias que relegan la academia a reproducir doctrinas" (Hernández, Navarro y Torrado, 2018, p. 2387). Por esto se buscaron las percepciones de nativos digitales constituyentes de "la primera generación formada en los avances tecnológicos" (Prensky, 2010, p. 5), dado que cartografiar su relación con

---

8 Partiendo de la filosofía foucaultiana, son definidas "por la situación que a éste le es posible ocupar en cuanto a los diversos dominios o grupos de objetos: es sujeto interrogante de acuerdo con cierto patrón de interrogaciones explicitas o no, y oyente según cierto programa de información; es sujeto que mira según una tabla de rasgos característicos, y que registra según un tipo descriptivo; está situado a una distancia perceptiva óptima cuyos límites circunscriben la textura de la información pertinente" (Foucault, 2013, p. 72), lo que indica que el sujeto-substancia del orden cartesiano fue desplazado por una existencia cardinalmente centrada en el plano de la realidad por un conjunto de relaciones de poder que operan sobre este para asignar prácticas, valoraciones y actitudes.

los entornos digitales es apropiado para el trabajo expresivo, el cual es aplicable al currículo del área de procesos comunicativos, permitiendo construir una racionalidad que libere de los automatismos y arroje a la experiencia de lo incierto, tan propia de la configuración del mundo tecnológico.

Se considera entonces al entorno digital una potencialidad política que debe ser explotada, entendiendo lo político desde aquel espacio que no puede ser manipulado, institucionalizado, burocratizado o fabricado, sino que está siendo reconfigurado constantemente por su misma dinámica de comunicaciones inciertas, públicas y libres. En razón de esto, Twitter puede ser una salida a la automatización de los procesos escriturales monológicos en la red social, y abre vertices hacía una forma disensual del actuar humano, una excepción a las reglas según las que se opera su agrupación y gobierno. En sentido práctico, es necesario provocar alternativas de producción textual a partir de las lógicas de esta red social, resultando favorecedora la restricción de escritura en su espacio a 140 caracteres, en cuanto se conmina al sujeto a hacer un retorno a sí, pero sobre todo, a cuidar cada palabra para concentrarse en "formas de subjetivación específicas que, de cuando en cuando, hacen existir, por encima de las leyes de la dominación y de las regulaciones de las colectividades, esa figura singular del actuar humano" (Rancière, 1998, pp. 12-13).

Frente a los espacios en los que la convencionalidad ha situado a las relaciones pedagógicas, las redes sociales representan un lugar vacío, intermedio y común, un lugar de tránsito en el que pocas cosas se perpetúan y que no es el aula con la que se asocian los ambientes escolares a pesar de no ser lo mismo que espacios de aprendizaje (Larrosa, 2017), por lo que es necesario transformarlos en entornos de diálogo donde lo digital expanda la experiencia para permitir en los sujetos nuevos modos de ver y aprender. Tales espacios de aprendizajes, abiertos en la emergencia de los entornos digitales, no pueden indicar un lugar concreto y especifico, sino precisamente su antítesis.

En este orden, Twitter se hace llamativo, pues no es el espacio de la socialización fatua, sino del intercambio de ideas, porque a diferencia de otras redes sociales no está diseñada para hacer de la vida cotidiana un espectáculo público, sino para substanciar pedagógicamente los imaginarios socio-políticos a partir de la creación de comunidades discursivas. De ahí que su interface plana y aparentemente primaria de lugar a expresiones concretas de una subjetividad que puede participar políticamente del mundo global sin necesariamente ser absorbido por las estratagemas rimbobantes de lo publicitario y entretenido. Esto marca cierta distancia reflexiva, desde el religar hombre-técnica (antropotéctica)9 que le permite cercanías que favorecen:

> una transforma-ción del sujeto con el fin de des-sujetarlo, de librarlo de las cadenas de la obediencia para lanzarlo hacia los expe- rimentos consigo mismo. Se trata de una voluntad de superar los límites de resistencia del yo, de ir siempre más allá de sí mismo, de aumentar las competencias, de "mejorar" cada vez el propio rendimiento (Castro-Gómez, 2012, p. 72).

Así, este entorno digital entendido como Contra-lugar, a consecuencia de no ser un hábitat específico, potencia procesos existenciales y políticos que intervenidos por pedagogías críticas, pueden transformar antropotécnicamente la relación de los sujetos con el mundo propio en relación con los otros. Se hace pues determinante aclarar que la potencia transformadora de esta red social concebida como entorno, no se gesta tan solo en su utilización ciega, sino en la conciliación entre pedagogía - mundo digital, posición de racionalidad que rompe la novedad y la inmediatez para asistir a una vivencia renovada que saque de lugar, pero que también permita el retorno. Debe resignificarse el papel del aula, no ya como narrativa disciplinaria, sino como lugar de encuentro y centro de experiencias que hace convergente la voz, los silencios y la escritura.

En consecuencia, interesa otorgar otros sentidos a la idea de lugar de aprendizaje, buscando salir del entorno específico del encierro para exponer a los sujetos a otros escenarios de expresión que no contengan la característica del comparecer físico, la vigilancia, el control y el castigo que se desprende de ello. El automatismo puede fracturarse si los escenarios formativos irrumpen en la multiplicidad, no para perderse en el nihilismo de lo siempre abierto, sino para retornar con nuevas implicaciones comunicativas que surgen del relacionamiento de las informaciones y de la necesidad por hacerse escuchar. Esto implica un trabajo comprometido, no para la organización de los saberes idoneos, sino en la educación de las atenciones, que como anotaba Simón Wail, "debería ser el único objetivo de la educación" (Wail citado por Larrosa, 2005. P.254).

---

9 Es el concepto que utiliza el filósofo alemán Peter Sloderdijk para desde la antropología filosófica pensar la relación hombre-técnica no ya como un asunto ruinoso que debe ser superado para habitar ontológicamente como arguía Heidegger, sino como una condición producto de la debilidad natural del humano. Lo cual, como entorno artificial de protección y auto-preservación deriva "en la antropotécnica como "mejo- ra del mundo" (*Weltverbesserung*) y a la antropotécnica como "mejora de uno mismo" (*Selbstverbesserung*)" (Castro-Gómez, 2012, p. 64), a nuestro juicio relevantes para reflexionar al respecto de las dinámicas que el mundo tecnológico y los entornos digitales tienden para la comprensión de la condición humana.

La atención, como disposición atenta a lo que se avecina, incierta e intempestiva, debe ser propiciada a partir de un ejercicio de pensamiento que resemantice la competencia educativa despojándola de su logicidad económica para traerla al terreno de las experiencias políticas y existenciales donde se juega la relación del sí mismo con respecto a los otros, elemento que hace significativa la experiencia de comunidad. De ahí que en Twitter por ejemplo, tales atenciones se deben mensurar para organizar discursos cortos que superpongan los sentidos a la extensión desde "la limitación en el uso de caracteres desarrollado por la capacidad de síntesis, permitiendo una mejor comunicación entre los estudiantes y el profesor" (Rodriguez y Restrepo, 2015, p. 46) que contrarrestan la extensión del argumento rutilante para transformarlo en un trino, que como el de las aves, lleva la medida justa para capturar la atención. Ese contra lugar, proveniente de la concepción como escenario de potenciación singular, libra la automatización escritural por propiciar un rodeo a la técnica de escribir y ejercitar dimensiones reflexivas que permanecen dormidas o subordinadas a la escolarización de la comunicación.

Tal es el tipo de automatismo percibido en la interpretación de este estudio, por lo que se propone generar espacios alternativos de comunicación para crear momentos a partir del ejercicio del lenguaje en entornos digitales cada vez más cotidianos, debido a que "Si habláis ese lenguaje –nos dicen- hablareis desde la realidad" (Skliar, 2005, p.32), ese otro lugar construido intersubjetivamente para poner en orden las posiciones de las atenciones y tener una experiencia significativa del mundo, debido a que:

> En estos momentos se está definiendo una nueva cultura, una cultura del remix, en el que los creadores (que podemos ser todos y cada uno de nosotros, sin complejos) producen conocimiento (re)utilizando retazos de otras creaciones, deshaciéndolas y adaptándolas en función de sus intereses. Una cultura en definición hacia un modelo de creación colectiva (Gil, 2007, p.6)

Por tanto, se apunta a relacionar la dimensión fáctica del aula con la contingencia de los entornos digitales, desde donde Twitter tiene la potencialidad pedagógica para habilitar en los estudiantes experiencias comunicativas creativas no subordinadas al imperio de la exhibición de sus vidas cotidianas. En razón de esto, la reacción a los automatismos que imponen lógicas de movilidad univoca son precisamente las formas del diálogo que comprenden que hablar, escribir y escuchar significan "abandonar la seguridad de cualquier posición enunciativa para exponerse en la inseguridad de las propias palabras, en la incertidumbre de los propios pensamientos. Además, se trata de hablar (o escribir), tal vez de pensar, en dirección a alguien". (Larrosa, 2005, p.37).

La educación, en función de construir ejercicios de pensamiento que superen los regímenes de dominación expresados en los automatismos para suscitar prácticas de libertad, que vistas desde la experiencia del entorno digital, particularmente en Twitter, disuelva lo concreto de un sujeto aferrado a las configuraciones de un saber escolar, tejido históricamente para conducir una conducta que parece, a los ojos institucionales, fijada en el tiempo. Se busca pues desvestir el uso publicitario del mundo digital y asumirlo desde la pedagogía como entorno cercado por diálogos de ida y vuelta que enriquezcan la expresividad y superpongan el significado a la forma. Tratándose entonces de un espacio no vertical:

> Donde no existen las posiciones de profesor y de alumno, y que es independiente también de cualquier disciplina entendida como un lugar de transmisión del saber. Aquí no se trata del saber sino del hablar. De un hablar de lo común: de lo que es asunto de todos en general y de nadie en particular. Y de un hablar en común: nadie representa ninguna posición, ninguna identidad, nadie está allí en nombre de nada. (Skliar, 2005. p.172)

En tal sentido, asumimos la aventura de condicionar el espacio digital de socialización a un proceso pedagógico que ubique al sujeto política y existencialmente en-torno a su relación consigo mismo y con los otros, implica una ampliación de los mundos de vida para desarrollar expresiones singulares al desatarse de las maneras cohercitivas, extensivas y punitivas de una escolaridad poco contemporánea. De ahí que no se busca la racionalidad idónea para aprender la dinámica de la escritura, sino las incertidumbres, angustias y soledades que estremecen al sujeto cuando necesita intersubjetivizar, quizás porque "escribir nos da entonces el silencio que necesitamos para darnos tiempo, para detener el tiempo, al menos ese tiempo crónico, veloz, por el que nos sentimos arrastrados" (Larrosa, 2017. p.8).

Por consiguiente, las dimensiones existenciales y políticas de la relación sujeto-entorno digital, no operan sobre los marcos de común acentuación formativa como lugar específico de ingreso para facilitar los desplazamientos y potenciar el tiempo de la ocupación. Más bien, se plantea un contra-lugar para "lanzarlo hacia el exterior de sus esferas primarias, induciéndolo a "vivir peligrosamente" en una exterioridad donde domina el riesgo" (Castro-Gómez, 2012, p. 72), como espacio siempre abierto que resiste a las estabilizaciones provenientes de regímenes de dominación que automatizan la relación sujeto-mundo para derivarla en mercancía aprovechable.

En razón de esto, se piensa en Twitter como un ágora política relevante debido a que su devenir es resistente a toda dimensión de poder; las paredes que lo componen siempre están manchadas, conservando la memoria replegada de antiguas reflexiones que se actualizan conforme los ejercicios de pensamiento avancen para estudiar los fenómenos. Esto constituye un cierto tipo de lugar que no atrapa, sino que deja libre para retornar.

En consecuencia, la relación del sujeto frente al Twitter mediado por una otra pedagogía, constituye cierta movilidad heterotópica en su uso, porque cada vez que creemos estar dentro, avanzados en los marcos de la discusión, nos expulsa y conmina a retornar. De ahí tal vez su impopularidad, pues exige de los sujetos el cultivo de la atención y el arrojo siempre incierto a lo que viene, generando un nuevo pensamiento consistente en "renovar el sentido de lo ocurrido, formulando nuevas preguntas y creando nuevos conceptos para poder comprender" (Barrio, 2015, p. 113). Por esto su diferencia con Facebook o Instagram, plataformas que preservan y sostienen, mientras que el twitter es puro devenir, heterotópico al ser un lugar abierto, pero con la propiedad de mantenernos afuera (Foucault, 1966).

Así, es indispensable para el campo de la pedagogía problematizar las expresiones de contemporaneidad que hacen posible la era digital, esto para no caer en los lugares comunes de la utilización acrítica de sus dispositivos. No se trata de facilitar, sino de complejizar, incitando a los estudiantes a habitar entornos de diálogo en los que la escritura adquiere otros matices y resonancias. Más allá de la fatuidad de su aparente naturaleza técnica, encontramos un campo de experiencias que debe ser explotado pedagógicamente para ampliar comprensiones que permitan cerrar brechas entre los inmigrantes y nativos digitales. Lo anterior implica un viraje en los ejercicios de aula que inciten cada vez más a salir, pero también a retornar a sí; todo esto pensado desde un proceso que supere la metafísica de lo uno para arrojar a la multiplicidad de sentidos otros que vuelven diversa las relaciones en ejercicios de hacer significativa, y por esto dialógico, el entorno digital pensado como un contra-lugar abierto siempre al devenir.

5. Conclusiones

Una vez descritos los datos y desarrolladas las discusiones, se hace una síntesis para puntualizar elementos determinantes para el cierre de esta investigación y para el inicio de otras que pretendan situar el mundo de la comunicación tecnológica y la pedagogía como espacio fundamental para observar las pocisiones contemporáneas de sujeto.

Por esto, pudimos demostrar que la relación entre sujetos y redes sociales, no presenta aperturas comunicativas en el orden de la experiencia de sí (existencial) o en la que se sostiene con otros (política), ya que su uso y consumo están dimensionados mas a expectativas instrumentales en el orden de un uso entretenedor de las mismas que distancia al explotar los deseos por hacer espectacular la vida cotidiana.

Tal asunto repercute en el distanciamiento frente a la legitimidad de las redes sociales por producir alguna información valedera que estremezca o al menos otorgue información para valorar algún fenómeno. Es así, como los sujetos, aunque conscientes de la manipulación histórica por parte de los medios tradicionales de comunicación, lo que indicaría en principio una pocisión crítica, acorde además a los adelantos de las ciencias sociales, se vuelve paradójico al ubicar tales como centros gravitacionales de sus experiencias informativas. Lo cual otorga pistas respecto a una cierta naturaleza relacional más cercana al entretenimiento pero distante a la integración de la vida política.

De ahí que se comprenda la preferencia por entornos tales como Facebook o Instagram, debido a que presentan interfaces que atrapan a partir de la prestación de servicios en su mayoría audiovisuales, en el que los sujetos comparten contenido que pretende hacer de su vida cotidiana un fenómeno acontecente, ligado mas a la práctica de hacer visible ciertos razgos de la individualidad que a construir expocisiones para permitirse una visibilidad un tanto más integral y compleja.

Por esto, se pudo observar que la ratio instrumental se vuelve un sentido común, donde se infiere que parte de la distancia frente a Twitter, se debe a que rompe con la racionalidad expresiva de esa sola individualidad espectacular, pues su plataforma privilegia un uso directo donde signo y argumento se entrelazan para habilitar matrices de opinión que potencialmente contorsionen al sujeto para que el decir llegue de forma contundente al lector; generando así, contextos comunicativos de antagonia y convergencia. Asunto que hace problemico llegar a una pobación como la estudiada, en la que los sujetos aseguran, según resultados, publicar contenido atado unicamente a cuestiones de entretenimiento, de lo que interpretamos cierta confianza de utilización sin mayor tendencia a la complejización de la potencialidad tecnológica, lo que supone un reto fundamental para la transformación de la práctica pedagógica.

El abocamiento a la entretención unidimensional que desviste al sujeto de la reflexión política y existencial, deriba en posturas acriticas que no otorgan amplitud al horizonte mismo de la apertura tecnológica en terminos de la experiencia comunicativa que potencialmente podrían producir las redes sociales. Lo cual denuncia una dimensión acritica, lejana a los derechos y deberes de una ciudadanía que en supuestos tendría que experimentar existencial, social y culturalmente las condiciones creadas a partir del Estado social de derecho constitucional creado en 1991.

Esto es particularmente importante, debido a que la percepción de la población estudiada, aún siendo nativa de la dimensión tecnológica y de la ampliación informativa, sigue teniendo prejuicios frente a lo nuevo y apatía respecto a la participación política. Lo cual se traduce en un limitado ejercicio lector como demostramos en los resultados, dejándolos expuestos a los procesos de automatización que los regimenes de dominación tienden para orientar las manipulaciones.

La investigación aquí presentada, entrega pistas importantes para que se puedan tejer horizontes de encuentro entre sujeto, tecnologogía y pedagogía, porque desarrolla el ejericio formativo desde el interior, al vincular los estudiantes-en este caso- con las intenciones pedagógicas desde una hermeneusis que buscó comprender la percepción del nativo sin desconocer las pocisiones del inmigrante en la era digital. Por esto, tramar experiencias políticas y existenciales desde una red social tan poco utilizada como Twitter, como se ha demostrado, debe tener en consideración percepciones y entendimientos que los tipos de sujeto surgentes en la encrucijada tecnológica tienen frente a los actuales dispositivos de comunicación.

Esto es particularmente importante, toda vez que esta investigación repercute directamente en el enriquecimiento curricular del área procesos comunicativos, teniendo una situación aproximada de la relación sujetos-tecnologia-comunicación para que la práctica pedagógica transforme sus iniciativas para que tengan resonancias que no queden en lo puramente instrumental-tecnológico, sino que lo complejicen a nivel existencia como experiencia de sí políticamente posible como encuentro con otros.

Referencias bibliográficas

Aguirre, J. (2003). Nuevos alcances de la participación ciudadana a través de las redes sociales. Revista Época, Vol 1 # 2. Pp. 119-150.

Ayala, T. (2014). Redes sociales, poder y participación ciudadana. Revista Austral de Ciencias Sociales, núm. 26, pp. 23-48.

Barrio, C. (2015). La función del pensamiento y el discurso en Hannah Arendt. De los juicios reflexivos a los juicios políticos. Ideas y Valores, 64 (159), pp. 109-130.

DANE. (2017). República de Colombia. Recuperado de: https://www.dane.gov.co/index.php/estadisticas-por-tema/cultura/encuesta-nacional-de-lectura-enlec

Castro-Gómez, S. (2012). Sobre el concepto de antropotécnica en Peter Sloterdijk. Revista de Estudios Sociales No. 43. Pp. 63-73.

Fernandez, T. (2013). Aprendizaje colaborativo y uso de las redes sociales en educación primaria. Revista Didáctica, Lengua y Literatura, vol. 25, pp. 157-187.

Foucault, M. (1966). Utopías y heterotopías y El cuerpo utópico. Conferencias radiofónicas. France-Culture.

Foucault, M. (2013). La arqueología del saber. Siglo XXI editores: Mexico.

Hernández, J; Navarro, L y Torrado, R. (2018) De la razón pedagógica al diálogo de sabere: alternativas contrahegemonicas para la formación escolar. Revista opción, Año 34 especial 18. Pp. 2380-2406.

Larrosa, J. Skliar, C. (2005). Entre pedagogía y literatura. Miño y Dávila editores. Buenos Aires, Argentina.

Larrosa, J. (2017). Pedagogía profana. Estudios sobre lenguaje, subjetividad y educación. Miño y Dávila editores. Buenos Aires, Argentina.

Medina, M. (2015). Autenticidad y resolución de la existencia en Kierkegaard y Heidegger. Un estudio comparativo. Tesis doctoral, Universidad Católica de Chile.

Ortega, C; Banderas, A (2011). Percepción de los jóvenes universitarios sobre el uso de Twitter en los procesos de enseñanzaaprendizaje. Revista Apertura, vol. 3, núm. 2.

Prensky, M. (2010). Inmigrates y nativos digitales. Distribuidora SEK, S.A.

Ricoeur, P. (1990). El conflicto de las interpretaciones/metodo hermenéutico y filosofía reflexiva. México: Siglo XXI.

Rodriguez, H y Restrepo, L (2015). Conocimientos y uso del twitter por parte de estudiantes de educación superior Sophia, vol. 11, núm. 1, pp. 44-52.

Sandoval, C. (2002) investigación cualitativa. ARFO Editores e Impresores Ltda, Bogotá: Colombia.

Capítulo IV

VIDEOS DE *YOUTUBERS* PARA MEJORAR LA MOTIVACIÓN EN EL AULA: ANÁLISIS DE VIDEOS SOBRE LA PINTURA DE "LAS MENINAS" DE DIEGO VELÁZQUEZ

Dra. Ana Tirado de la Chica

Universidad de Jaén, España

Resumen

Este trabajo aborda la hipótesis de una aplicación didáctica de los videos de *youtubers* en el aula. En concreto, se basa en el caso del video *Velaske yo soi guapa?* (2017), elaborado por el *youtuber* Christian Flores, y que se hizo viral en redes sociales. El método es de análisis de contenido comparado entre este y otros tres videos también sobre la pintura de *Las meninas* (1656) de Diego Velázquez y publicados en diferentes canales de YouTube (dos videos del canal del Museo del Prado y un video del canal de Descubrir el Arte). Se aplican tres variables del análisis (performance, contenido y estética). En los resultados se encuentran notables diferencias entre el video del *youtuber* y el resto: una performance basada en el diálogo musical y al ritmo del trap, contenidos de tipo social y una estética basada en el *argot* actual de las redes sociales. Las conclusiones aportan algunas consideraciones didácticas para una función educativa y formativa de videos de youtubers, como que contribuyen a la motivación y la capacidad de atención de jóvenes estudiantes por los temas de estudio, y que su uso es recomendable al inicio de una lección docente.

Palabras clave

Educación Contemporánea, TIC, Arte, Audiovisual, YouTube, Patrimonio.

1. Introducción

A finales del año 2017 asistimos en España al fenómeno viral en redes sociales del video *Velaske, yo soy guapa?* (25/11/2017), elaborado por el *youtuber* Christian Flores y publicado en el canal YouTube de Play Ground[10]. El video está basado en la pintura de *Las meninas*[11] (1656) de Diego Velázquez. En apenas los días inmediatos de su publicación, este video fue comartido por miles de personas[12]. Sin embargo, las reacciones fueron variadas. Por un lado, hubo a quienes no les gustó (actualmente ha recibido 6.500 marcaciones de "no me gusta"), porque entendieron que el video representa una parodia que simplificaba y ridiculizaba los valores culturales de una de las pinturas mayores de la Historia del Arte: "El canal de YouTube que el ganado ignorante sigue para sentirse culto. Deus meus", comentario publicado por DonRenecio T en marzo de 2019. Pero, a otros/as les gustó y este video les resultó pertinente y divertido: "¿Como se puede meter historia, pintura, música de masas, humor, sátira y crítica en 3 minutos? una obra maestra, el mismisimo Velazquez te daría la enhorabuena mientras se parte el culo", comentario publicado por Dakota Pulse en 2018; "I'm just learning Spanish and a friend of mine showed me this song - now I can't quit XD. I know the spelling is wrong in every possible way, but the song is just so funny and addictive. Please make some more, I appreciated the background info and the princess' obsessive need for confirmation :D", publicado por Csizsikpizsik en 2018.

Considerando las diversas reacciones al video YouTube de *Velaske, yo soy guapa?*, lo cierto es que muchos jóvenes y mayores españoles visionaban , por primera vez un contenido audiovisual completo en torno a la pintura de *Las meninas* de Diego Velázquez y, lo que llama aún más la atención, manteniendo la atención durante todo el visionado. Esto fue lo que también sucedió cuando el video se presentó en un contexto educativo y formativo como la universidad. En concretó se trató de una clase de Educación Artística en la Universidad de Jaén con alumnado de los Grado en Educación Infantil y en Educación Primaria, en diciembre de 2017. Las reacciones del alumnado al video fueron de captar su atención y provocarles la risa. El

---

[10] Disponible en YouTube en: https://www.youtube.com/watch?v=II6p2-40-F0

[11] Reproducción en línea de la obra en la página web oficial del Museo del Prado: https://www.museodelprado.es/coleccion/obra-de-arte/las-meninas/9fdc7800-9ade-48b0-ab8b-edee94ea877f

[12] Actualmente ha recibido 9.729.165 visualizaciones y 6.066 comentarios de opinión [Consultado: 20/06/2019]. En España, uno de los periódicos nacionales principales como *El Mundo* se hizo eco del fenómeno con una nota de prensa titulada *'Velaske, yo soi guapa?': el 'trap' viral que reivindica la historia de 'Las meninas'* (Polo, 2017).

alumnado manifestó complicidad permanente a los contenidos que se sucedían en el video y respondían con risas sucesivas. Al finalizar el visinado, era palpable en la sala la actitud activa y atenta del alumnado.

Al respecto de la pintura de *Las meninas* (1656) de Diego Velázquez existen otros videos con intención didáctica y que también están publicados en canales de YouTube: *Obra Comentada: Las Meninas*, de Velázquez (27/06/2016), publicado en el canal del Museo del Prado; *Las Meninas de Diego Velázquez* (20/03/2014), publicado en el canal de Hi VIP; y *Las Meninas cobran vida* (16/05/2015), publicado en el canal de Descubrir el Arte. El primero de ellos está adaptado a un estilo infantil, mientras que el otro está elaborado según un estilo formal y científico; el tercero también presenta un estilo formal, aunque incluye algunos elementos de humor como las onomatopeyas. Sin embargo, las reacciones de los estudiantes universitarios a estos últimos videos sobre *Las meninas* son diferentes: el seguimiento del desarrollo de los videos no es tan atenta, las emociones son más bajas y, por tanto, podemos dentender que el gradod e interés y motivación también son más bajos.

En este trabajo nos preguntamos entonces si no estaremos asistiendo a un nuevo reclamo docente, y es que los recursos didácticos se adapten a las nuevas generaciones de estudiantes para que despierten más y mejor su motivación. El objetivo es conocer cuáles son las características por las que el video de *Velaske, yo soy guapa?* (25/11/2017) de Christian Flores resulta tan atractivo al público joven actual. Para ello, se propone un estudio comparado con los otros tres videos didácticos sobre la pintura de *Las meninas* también publicadas en YouTube, que se mencionaban anteriormente. De esta manera, se espera aportar resultados para conocer las diferencias entre unos y otros, y contribuir con conclusiones acerca de los videos de YouTube como recursos de aprendizaje en la enseñanza actual.

1.1. Fenómeno Youtube. Qué es, características principales. YouTube como recurso educativo.

Los videos en YouTube son muy diversos. YouTube consiste en una plataforma web de uso libre que fue iniciada en el año 2005 (Burgess y Green, 2018). Tiene dos aspectos destacables: por un lado, que permite la libre publicación en línea y el acceso abierto a productos digitales de video; y, por otro, que los videos publicados en YouTube pueden ser compartidos por terceros, lo que convierte a esta plataforma en una red social (Mayora, 2009). De esta manera, personas de todas las condiciones y partes del mundo (mayores y menores de edad; particulares, instituciones y empresas e, incluso, usuarios con nombres ficticios) pueden publicar sus videos y compartir los de otros. También permite otras opciones para la valoración de los videos que se visualizan, según botones de "me gusta" o "no me gusta", así como también públicar comentarios de opinión. Por extensión a esta libre publicación y visualización de los videos, usuarios y personas de todas las condiciones sociales, culturales y políticas de todo el mundo participan de YouTube.

En respuesta al creciente interés educativo de los videos de YouTube en 2009 se creó YouTube.edu, un canal de YouTube que reúne videos con contenidos educativos y que son elaborados por profesionales de la educación. Para una función educatia de los videos de YouTube, deben tenerse en cuenta dos aspectos principales: por un lado, la selección crítica de los videos de acuerdo a sus contenidos; y, por otro, la aplicación didáctica de los videos. Respecto de los criterios para una selección crítica de los contenidos, Jones y Cuthrell (2011) propone los siguientes: la credibilidad de los contenidos, la actualidad del video, el uso de una narrativa razonada y argumentada, y los editores. En este sentido, no serían recomendables los videos de paradia social que tanto abundan en YouTube, ya que estos comúnmente utilizan exageración de las expresiones y declaraciones radicales; sus autores, que generalmente son *youtubers*, tampoco se considerarían editores fiables, que hubieran sometido el trabajo a procesos de revisión y de control, como tampoco incluyen arguemntos o referencias de los contenidos de los videos.

Respecto de la aplicación didáctica, los videos de YouTube en entornos educativos se utilizan como complementarios a una lección o tema. Estos son instructivos de pasos a seguir y de procesos; también ejemplifican casos, aportan otros puntos de vista y presentan también por terceros, etc. (Hussein Al-Mosawi, 2018). De esta manera, los videos de YouTube se introducen en mitad de una explicación para dinamizar la sesión y aportar otras voces; también, al comienzo de un ejercicio o como preparativo a una actividad cuando el video presenta las instrucciones a un proceso; y, también como material de discusión (Berk, 2009).

La inserción de los videos en la innovación docente no resulta algo novedoso (Hammond & Lee, 2009). En los años 90 en España, se introdujeron en las escuelas los aparatos de video que leían cintas VIH. Ya por entonces se editaban una gran variedad de materiales didácticos en formato de video para renovar y dinamizar la educación. Por ejemplo, la serie en VIH de *Muzzy*, un programa de formación en Inglés editado por la BBC. A continuación, se sucedieron los DVD y, en el último periodo, la cuestión consiste en cómo introducir recursos didácticos en línea en las aulas, como son el caso de los videos en YouTube. En favor de una innovación docente basada en la introducción de las TIC en el aula, en los últimos diez años en España, las aulas de colegios y universidades –entre otros centros de formación-, se han dotado de proyectores, pizarras digitales y ordenadores para el alumnado (Méndez Garrido y Delgado García, 2016). Por tanto, el contexto actual de la educación ya dispone de todos los dispositivos y materiales que dan soporte a recursos didácticos en línea y, entre estos, también se encuentra los videos publicados en YouTube.

El siguiente texto se orden en otros cuatro apartados principales, de acuerdo al desarrollo de la investigación. Esto son: Método, Resultados, Discusión de los Resultados y Conclusiones. En el apartado del Método se da cuenta de la definición del análisis de contenido comparado y de la muestra, compuesta por un total de cuatro videos de YouTube. En el apartado de Resultados estos se presentan ordenados de acuerdo a las tres variables del análisis: performance, contenidos y estética. A continuación, en el apartado de Discusión de los resultados, estos se comparan de acuerdo a diferencias y similitudes entre los resultados de la muestra. Y, finalmente, en el último aparatdo de Conclusiones se arrojan algunas cuestiones futuras para una aplicación didáctica de videos de *youtubers*.

2. Método

Para el método, se adopta un análisis de contenido (Piñuela, 2002; Cañadas, Gómez y Pinzón, 2018).) sobre una muestra de cuatro videos publicados en YouTube con el tema de la pintura de *Las meninas* (1656) de Diego Velázquez. Así, se aborda un análisis comparado entre el video de *Velaske, yo soy guapa?* (25/11/2017) de Christian Flores y otros tres con un tratamiento específicamente didáctico sobre esta misma pintura.

Para la definición de las variables del análisis, se adoptan las tres dimensiones del análisis que a su vez utilizaron Pereira, Moura y Fillol (2018) en su investigación sobre el fenómeno YouTubers, que son: performance, contenidos y estética. De acuerdo a los autores, estras tres variables permiten focalizar el estudio sobre las cuestiones de los videos de YouTube que podrán explicar los valores de entretenimiento establecidos por los jóvenes. La dimensión de contenidos se reifere a los ítems, temas y referencias, tanto visuales como orales. La dimensión de performance comprende el estilo narrativo (ritmos del discurso y usos del argot) y estrategias de captación de audiencias. Y la dimensión estética comprende la composición audiovisual (tecnología visual de la imagen y efectos de sonido).

Para analizar el material videográfico de la muestra, se adopta un análisis de datos de tipo cualitativo, basado en principios de reducción de datos y utilizando procedimientos de clasificación de los datos (Medina et al., 2017; Miles, Huberman y Saldaña, 2014). Para clasificar los datos, se utiliza una herramienta de matriz, que se define del siguiente modo: en columnas verticales se distribuyen las variables del análisis de acuerdo a las tres dimensiones anteriores de contenidos, performance y estética, y, en filas horizontales, los videos de la muestra del análisis.

Tabla 1. Matriz para la clasificación de los datos del análisis.

Datos	PERFORMANCE	CONTENIDOS	ESTÉTICA
Video 1			
Video 2			
Video 3			
Video 4			

Fuente: elaboración propia.

2.1. La muestra

La muestra está compuesta por un total de cuatro videos que están publicados en YouTube, en diferentes canales, y que tienen por tema principal la pintura de *Las meninas* (1656) de Diego Velázquez. La variedad de los videos y de los canales garantiza la diferencia para realizar el análisis comparado que se propone. En lo que respecta a la temporalidad de los videos, la diferencia temporal mayor es de tres años, con años de publicación que van desde 2014 a 2017, algo que garantiza que todos ellos compartan una misma periodicidad. A continuación se presentan los cuatro videos de la muestra:

Video 1: V*elaske, yo soy guapa?*

Este video ha sido elaborado por un joven youtuber, Christian Flores, que tiene su propio canal YouTube desde el año 2013[13]. Sin embargo, el video de Velaske, yo soy guapa? que elaboró en el año 2017 se publicó en otro canal, en el cal de YouTube de la corporativa de Play Ground con fecha del 25 de noviembre de 2017, especializada en contenidos culturales actuales, lo que también supuso una plataforma de mayor impacto de este trabajo. El video tiene una duración total de 2:52 min. y se encuentra disponible en: https://www.youtube.com/watch?v=Il6p2-40-F0

Video 2: Obra Comentada: Las Meninas, de Velázquez

Este video es una elaboración propia del equipo del Museo del Prado (Madrid, España). Originalmente se edita como audioguía infantil. Es publicado en el canal YouTube del Museo del Prado con fecha del 27 de junio de 2016. Tiene una duración total de 2:20 min. y se encuentra disponible en: https://www.youtube.com/watch?v=3cqdOhuboC4

---

[13] Página web de YouTube de Christian Flores: https://www.youtube.com/channel/UCzzh5f6ZzvcapRYiGliuI9A/featured

Video 3: Las Meninas de Diego Velázquez

Este video está elaborado por la empresa privada de edición de video Hi VIP, para lo que también ha recibido una subvenciónd el Ministerio español de Educación Cultura y Deporte. Está publicado en el canal YouTube de Hi VIP, con fecha del 20 de marzo de 2014. Tiene una duración total de 11:17 minutos y se encuentra disponible en: https://www.youtube.com/watch?v=7_MVm-ftwn0

Video 4: *Las Meninas cobran vida*

Este video es elaborado por Cultura Viva y se publicó en en el canal de YouTube de Descubrir el Arte, que constituye uno de los medios de difusión del arte en español de mayor impacto. Se publicó con fecha del 6 de octubre de 2015. Tiene una duración de 4 min. y se encuentra disponible en: https://www.youtube.com/watch?v=hNX_AEB1pu4

3. Resultados

Los resultados para los cuatro videos del análisis se presentan ordenados de acuerdo a cada una de las tres variables del análisis: resultados del análisis para la dimensión de la performance, de los contenidos y de la estética.

3.1. Resultados para la dimensión de la performance

Entre los cuatro videos del análisis se distinguen dos tipos de performance principales: una basada en un diálogo musical (video 1) y otra basada en las voces de narradores que van desarrollando la historia (videos 2, 3 y 4).

Tabla 2. Resultados del análisis para la dimensión de performance.

	PERFORMANCE
Video 1	– Diálogo musical entre voces de diferentes personajes. – Personajes realistas. – Los personajes dialogan entre sí. – Argot del trap y de Youtube. – Ritmo rápido del desarrollo.
Video 2	– Narradores en personajes de dibujos animados. – Se dirigen directamente al espectador. – Estilo narrativo infantil y formal (vocabulario y recursos dialógicos del lenguaje).
Video 3	– Una narradora única, con tratamiento anónimo y realista. – Diálogo en tres tiempos verbales: 3ª persona del plural (nosotros), 3ª persona del singular (él/ella) y conjugación predominal del verbo en 3ª persona (se). – Sucesivas referencias a autores de reconocido prestigio, datos y evidencias concretas. – Estilo formal, científico y especializado.
Video 4	– Dos voces en *off* de narradores (femenina y masculina). – Diálogos en tercera persona; el espectador adquiere un rol pasivo.

Fuente: elaboración propia.

En el video 1 la performance se articula en un diálogo musical entre voces de diferentes personajes. Los personajes corresponden a los mismos de la pintura de *Las meninas*. En este sentido, los diálogos están compuestos en primera persona y se aluden directamente entre sí. También se utilizan los argot del trap y de YouTube, lo que a su vez induce a un ritmo rápido del desarrollo del video, que oscila en compases de 3/3 y de 3/4.

- Ehmmm, no estábamos hablando de ti –dice el personaje de de Marcela de Ulloa-.
- ¡Ah! ¿no? ¿Y de qué estabais hablando? –insiste la Infanta Margarita-.
- No todo gira en torno tu vida, Margarita –replica Marcela de Ulloa-.
- No, no, dilo, venga, en serio, ¿de qué estabais hablando?
- Es que no dejas hablar, no dejas hablar –dice la menina Isabel de Velasco-. (1:24-1:40 min.).

En cambio, en los video 2, 3 y 4, la performace está basada en voces de narradores y que se articulan como personajes de dibujos animados (video 2), personales reales (video 3) o voz en *off* (video 3). En el video 2, los narradores se tratan de tres dibujos animados basados en personajes de la pintura real de *Las meninas* y del contexto de corte regia del cuadro: la Infanta Margaratia, el pintor Diego Velázquez y un joven príncipe. Sus guiones son en primera persona y hacen partícipe al espectador dirigiéndose directamente a este en sus diálogos, con expresiones como:

> "Estamos ante una de las obras maestras del Museo. ¿Sabes cuál es? Seguro que sí. Se trata de "Las meninas", la pintura de toda mi familia" –dice el personaje de la Infanta Margarita-. (video 2, 0:00-0:38 min.).

> "Pinté esta obra en 1656, cuatro años antes de morirme" –dice el personaje del pintor Velázquez-. (video 2, 1:59-2:17 min.).

En el video 2 se utiliza un estilo narrativo infantil y formal, que es manifiesto tanto en el vocabulario que se emplea como en los recursos dialógicos del lenguaje. Estos últimos interpelan al espectador y lo hacen partícipe de la historia:

> "Su autor aparece retratado junto al resto de los personajes y, en este momento, se detiene para mirarte. ¿Quieres oírle y saber quién es? Pues, pulsa el botón rojo" –dice el personaje de la Infanta Margarita-. (0:00-0:38 min.).

Por otro lado, el carácter formal se hace patente en el uso del vocabulario específico, con términos como "obras maestras", la mención de lugares y personalidades históricas, como el Alcázar de Madrid, los Reyes Felipe IV (1605-1665) y Mariana de Austria (1634-1696). Sin embargo, todo ello se articula en un discurso infantil, utilizando recursos del juego, como la adivinanza, el acertijo y los secretos:

> "Esta pintura esconde muchos secretos. ¿Sabrías cuándo la pintó Velázquez? Pues, para finalizar, pulsa el botón verde y será él quien te lo desvele" –dice el personaje de Infanta Margarita-. (1:49-1:58 min.).

En el video 3 la performance consiste en un personaje principal que actúa como narradora única de la historia. Este se dispone en plano americano y posición frontal, dirigiéndose directamente al espectador. Sin embargo, en esta ocasión, no se utilizan recursos dialécticos del lenguaje, y el espectador adquiere un rol pasivo y de escucha respecto de la historia. La narradora recibe un tratamiento anónimo y, de esta manera, su identidad es de representación de la corporación del Museo del Prado. Muestra un conocimiento especializado en el pintor Diego Velázquez. La narradora habla en tres tiempos verbales: tercera persona del prural (nosotros), tercera personal del singular y de la conjugación predominal del verbo en tercera persona (se). El uso de estos tres tiempos verbales es característico de la literatura científica, y que se utiliza porque otorga un tratamiento objetivo e impersonal de la información que se comunica (Muñoz, 1999):

> "A la izquierda del cuadro, de pie, junto a un cuadro también de grandes proporciones, tenemos a Diego Velázquez, en el que se considera el mejor autorretrato del pintor sevillano. Él aparece con el pincel y la paleta del pintor en las manos y, colgando de la cintura, la llave de aposentador

mayor de palacio porque, Velázquez, además de pintor de cámara de Felipe IV, ocupó, fue distinguida con este cargo por Felipe IV en 1652". (3:06-4:49 min.).

"Al fondo, junto a una puerta abierta, Velázquez retrata al mayordomo o al aposentador de la reina, José Nieto Velázquez. Los aposentadores, entre otras funciones, tenían la función de abrir las puertas al paso de los reyes". (2:47-3:05 min.).

En el video 3, el discurso presenta un tratamiento científico, en el que se utilizan sucesivas referencias de autores de reconocido prestigio, así como se introducen alusiones a datos o evidencias concretas:

"Hay autores que van más allá, como el ingeniero y pintor Ángel del Campo, que afirma que Velázquez hace en *Las meninas* una especie de estudio de la continuidad dinástica. Según este autor, Velázquez, con las cabezas de los personajes de la izquierda, dibuja un círculo perfecto en cuyo interior quedaría el retrato de los Reyes. Y, de esta manera, este autor interpreta que Velázquez hace o simboliza la perfección de la monarquía, comparándola con la perfección del círculo". (6:00-8:17 min.).

Y, finalmente, en el video 4, la performance consiste en dos voces en *off* de narradores. Una de las voces es femenina y otra masculina. La voz femenina es principal, dado que desarrolla el hilo conductor de los contenidos del video, mientras que la voz masculina tan solo interviene en dos ocasiones para introducir dos paráfresis, a modos de citas de terceras personas. Así, el tiempo verbal de las voces es de tercera persona y, por tanto, el espectador presenta un rol pasivo durante todo el video.

3.2. Resultados para la dimensión de los contenidos

Sobre los contenidos, se encuentran dos grupos de resultados principales entre el conjunto de la muestra: por un lado, contenidos de tipo social y, por otro, contenidos al respecto de los datos técnicos, descriptivos y de importancia del cuadro de *Las meninas*.

Tabla 3. Resultados del análisis para la dimensión de los contenidos.

		CONTENIDOS
Video 1	–	"Rabieta" del personaje de la Infanta Margarita por su belleza.
	–	Condición de la mujer en la época: matrimonio concertada, condición reproductora de la mujer.
	–	Un cuadro dentro del cuadro.
	–	Obra revolucionaria.
	–	La ascendencia social y laboral del pintor Diego Velázquez en la Corte de Felipe II.
Video 2	–	Impacto de la obra en la sociedad y la crítica del arte.
	–	Identificación de la obra.
	–	Descripción de los personajes de la composición.
Video 3	–	La relevancia e impacto de la obra de *Las meninas*, así como del autor, el pintor Diego Velázquez.
	–	Las características técnicas y artísticas.
	–	La iconografía.
	–	La descripción de los personajes.
Video 4	–	Contexto histórico de producción artística de la pintura del pintor Diego Velázquez y de Sus Majestades los Reyes: datación de la obra, momento biográfico del pintor y de los Reyes.
	–	Los valores más destacados de la pintura.

Fuente: elaboración propia.

Los contenidos de tipo social se encuentran en el video 1 del análisis, donde la trama principal ronda en torno a una "rabieta" del personaje de la Infanta Margarita, y que da pie a introducir otras cuestiones características del contexto histórico y cultural en que se elabora la obra de arte de *Las meninas*. Esta "rabieta" está protagonizada por la Infanta Margarita y se debe a su preocupación por el reconocimiento social como guapa. En este sentido, la importancia de los valores socioculturales que recaen sobre la Infanta por su belleza. Así, el video comienza con un estribillo de coros que dice:

> Mami, ¿yo soy guapa, mami? Mami, ¿ yo soy guapa?
> Mami, ¿yo soy guapa, mami? Mami, ¿ yo soy guapa?
> Mi pelo rubio, mi cara guapa
> Meninas feas, mi cara guapa (0:00-0:16 min.)

A continuación, en el video 1, ello encadena otra serie de cuestiones históricas relativas a la condición de la mujer en la época, como el matrimonio concertado y la condición de la mujer al casamento (Gascón Uceda, 2013; Fraile Seco, 2004). El matrimonio concertado entre miembros de familias reales se utilizaba como herramienta política para garantizar la continuación de los linajes y la asociación de territorios geopolíticos diferentes:

- Yo quiero jugar a otras cosas, no quiero estar pendiente de si estoy guapa o no.

- Yo no me quiero poner estos vestidos

- (...) Es que no es normal que yo con cinco años recién cumplidos

- (...) Mi mayor miedo sea no casarme (min.)

- Perdón por meterme pero, si tu miedo es no casarte, no te preocupes. De hecho, ya estás prometida a tu tío Leopoldo, el hermano de tu madre. Tu tío, el que te regala cincuenta caballos cada Navidad. Tu tranquila, que casarte, te casas. ¡Vamos, que si te casas! Como que tu boda es un arreglo histórico para mantener la monarquía hispánica. Es más, a los quince años tendrás tu primer hijo, y a los veintiuno morirás por las secuelas de tu cuarto parto –dice el personaje de Velázquez-. (1:23-1:58 min.).

La preocupación por la belleza de la Infanta Margarita encarta con el carácter retratista de la pintura de *Las meninas*, donde esta Infanta está representada en el centro de la obra y en primer plano, de manera que constituye el personaje principal de la obra. Así, se revela que esta pintura consiste en un cuadro dentro del cuadro, en el que en realidad se está retratando a la Infanta Margarita, y se presenta como algo revolucionario:

Señora Margarita, yo solo cumplo órdenes.
Pero, escuche un secreto: yo la estoy pintando a usted.
¿Viste que en el cuadro se está pintando un cuadro?
Pues en realidad, Señora, yo la estoy pintando a usted (0:35-0:50 min.)

En el video 3 también pueden reconocerse la inclusión de algunos contenidos de tipo social. En este caso, estos tienen que ver con aspectos de la identificación de los personajes y del papel que estos ocuparon en la corte que justifica su representación en el cuadro:

"Él aparece [Velázquez] con el pincel y la paleta del pintor en las manos y, colgando de la cintura, la llave de aposentador mayor de palacio (...). Era un cargo de cierta responsabilidad, el de aposentador mayor de palacio, puesto que era el responsable... Era una especie de mayordomo especial del rey, responsable de organizar sus viajes, sus alojamientos... Y que, junto con otros cargos que desempeñaba Velázquez, como el de ayuda de cámara, hacían de él una de las personas más próximas al monarca. Estos cargos le encumbraron de alguna manera en la corte, puesto que suponían el máximo de los reconocimientos de los favores reales". (3:06-4:49 min.).

En el video 4 no se reconocen contenidos de tipo social, pero sí respecto del periodo de producción artística de la pintura de *Las meninas*. En concreto, los contenidos aluden tanto al contexto de Diego Velázquez -el autor del cuadro-, como de Sus Majestades los Reyes –los mecenas del cuadro-:

"Velázquez se encuentra en su periodo más alto de madurez artística. A sus cincuenta y siete años ha dejado tras de sí obras maestra como Marte, La Rendición de Breda, el retrato del Papa Inocencio X" –voz de la narradora-. (0:17-0:42 min.).

"Sus numerosos cuadros de la familia real son testigos mudos del paso del tiempo en palacio. En los últimos años, el monarca Felipe IV, ya viejo y cansado, rehúye los pinceles del pintor" –voz de la narradora- (video 4, min.). Y continúa: "No me inclino a pasar por la flema de Velázquez, como por no irme ver envejeciendo" –voz del narrador-. (0:43-0:54 min.).

Sin embargo, en los videos 2 y 3, la mayor parte de los contenidos versan en torno a la relevancia de la obra, además de su identificación y descripción. Se emplean tres ítems, según los siguientes:

Impacto de la obra en la sociedad y la crítica del arte:

"Estamos ante una de las obras maestras del Museo. (...) Es la más conocida del Museo del Prado y una de las más importantes del mundo. Viene gente de todos los países solo para verla" –dice el personaje de la Infanta Margarita-. (video 2, 0:00-0:38 min.).

"Las meninas" es una de las obras maestras de la pintura, que ha sido objeto de mayor cantidad y variedad de interpretaciones. ¿Qué hay en el cuadro que está pintando Velázquez? O ¿cómo entender que en la rigurosa corte de los Austrias españoles, los Reyes estuvieran relegados al fondo de un espejo, cediendo su protagonismo a los sirvientes de la Infanta? O ¿cómo se interpreta el reflejo de los Reyes en el espejo?". (video 3, 6:00-8:17 min.).

"Es en esta época en la que Velázquez se plantea pintar el más original de sus retratos reales. Con una atrevida composición, plasma la irrupción de la Infanta Margarita y de su séquito. Mientras, el propio maestro aparece en la escena pintando a SS. MM., los cuales se reflejan en el espejo del fondo" –voz de la narradora-. (video 4, 1:24-1:43 min.).

Identificación de la obra:

"Se trata de "Las meninas", la pintura de toda mi familia" –dice el personaje de la Infanta Margarita-. (video 2, 0:05 min.). Y, ya al final del video, se dice: "Pinté esta obra en 1656, cuatro años antes de morirme. La gente siempre la ha admirado mucho, llamándole cariñosamente "Las meninas". Pero, sin embargo, yo nunca le puse ese título. Su nombre es: La familia de Felipe IV" –dice el personaje de Velázquez-. (video 2, 1:59-2:17 min.).

Descripción de los personajes de la composición:

"Mi nombre es Diego Rodríguez de Silva y Velázquez y soy el pintor del rey. Me encuentro en mi estudio del Alcázar de Madrid, pintando para sus Majestades Felipe IV y Mariana de Austria" -dice el personaje de Velázquez- (video 2, 0:40-1:03 min.). Y, continúa diciendo el personaje del príncipe: "Los Reyes están reflejados en el espejo y, Velázquez, quizás los están pintando en el enorme lienzo que ves a tu izquierda. Pero, de repente, ha entrado en la estancia la Infanta Margarita, acompañada de más personas, ¿las conoces? En el centro, la Infanta. A sus lados, las dos únicas meninas del cuadro, que son sus cuidadoras; la que está inclinada ofreciéndole una jarrita se llama María Agustina Sarmiento y, la otra, es Isabel de Velasco. El término "menina" significa niña en portugués y, por ello, se utiliza referido a las personas que acompañan a los niños. Delante, vemos a la nana María Bárbola y el niño que está pisando al mastín, Nicolasito Pertusato, que es muy travieso. El resto de los personajes trabajan en la corte para los Reyes, incluido el propio Velázquez". (video 2, 1:04-1:48 min.).

"A la derecha del grupo formado por la Infanta y sus meninas, Velázquez retrata dos enanos: María Bárbola y Nicolás Pertusato. Ella entró en palacio el año en que nació la Infanta y la acompañaba siempre en su séquito. Y él era un enano de origen noble, que llegó incluso a ser ayudante de cámara del rey". (video 3, 2:08-2:28 min.).

Características técnicas y artísticas:

"Si observamos, el retrato del grupo ocupa la mitad inferior del cuadro. En la mitad superior, Velázquez pinta básicamente espacio, espacio vacío o espacio en penumbra. Y, sin embargo, esta parte superior es reconocida habitualmente como la parte más lograda de la composición. El juego espacial es muy importante en *Las meninas*. Por su gran dominio de la perspectiva aérea, Velázquez consigue hacer que veamos el aire que dibuja en el cuadro. De hecho, hay autores que afirman que la luz y el aire son los auténticos protagonistas de *Las meninas*". (video 3, 8:23-9:56 min.).

Iconografía y descripción de los personajes:

"Velázquez retrata en *Las meninas* a once personas, todos personajes reales e identificados de la corte de Felipe IV. El tema central es el retrato de la Infanta Margarita de Austria, una de las hijas de Felipe IV, y que está acompañada por sus dos doncellas, las meninas". (video 3, 0:42-1:36 min.).

3.3. Resultados para la dimensión de la estética

Respecto de la dimensión estética, los cuatro videos coinciden en utilizar una imagen fotográfica realista del mismo cuadro de *Las meninas*. Sin embargo el tratamiento de esta, así como del resto de recursos audiovisuales que se emplean difiere entre unos y otros.

Tabla 4. Resultados del análisis para la dimensión de la estética.

	ESTÉTICA
Video 1	Una sola imagen fotográfica y realista de baja calidad. Planos cortos y detalle. Tratamiento: fundido, la distorsión centrípeta y los filtros de colores saturados. Animación vocal de los personajes. Mismo sonido de voz para todos los personajes con diferentes tratamientos de agudos. Sonidos electrónicos de acompañamiento en el fondo. Uso de expresiones del dialecto andaluz. Uso del argot de la comunicación escrita por mensajería móvil en los subtítulos.
Video 2	Dos planos fijos: personaje animado en primer plano y fondo neutro en colores claros. Animación de los personajes den boca, ojos y manos. Imagen realista de la pintura. Sonido de instrumentos musicales clásicos: violines.
Video 3	Cabecera con los créditos del video. Imagen realista de la pintura. La figura humana de la narradora en plano americano y posición frontal.
Video 4	Imágenes realistas de la pintura de corte de Diego Velázquez. Efectos de animación visual para las figuras corporales de los personajes. Sonido de acompañamiento de fondo basada en sonidos de instrumentos clásicos. Efectos de sonido de onomatopeyas.

Fuente: elaboración propia.

En el video 1, esta imagen fotográfica de *Las meninas* constituye la sola imagen del video, de manera que el video transcurre por una sucesión de diferentes enfoques sobre el cuadro. De esta manera, el tipo de plano más repetido es el plano corto o detalle. En el tratamiento de los planos se distinguen tres tipos. El más repetido es el fundido (transición en zoom de mayor a menor). También se utiliza en una ocasión la distorsión centrípeta de la imagen (la imagen se envuelve sobre sí misma), que coincide cuando el video enfoca un plano corto del rostro del personaje de la Infanta Margarita y esta dice: "Mami, ¿será que es que yo no soy muy guapa?" (00:25 min.). Y filtros de color, en tonos muy saturados que van de multicolores intensos, azules, verdes y rojos; se emplea coincidiendo cuando en el video se alude a la cuestión de un cuadro dentro del cuadro de *Las meninas* (00:57 min.), mientras en la imagen se enfoque el rostro y busto del personaje del pintor Diego Velázquez.

En el video 2, la composición audiovisual del video está basada en dos planos fijos de profundidad sobre un fondo blanco: en el primer plano aparece el personaje animado de la narración, en el segundo plano se dispone de forma fija y permanente una imagen realista de la pintura de *Las meninas* y, el fondo blanco tiene un tratamiento degradado de grises en la parte inferior de la composición.

En el primer plano, el personaje animado se dispone en uno de los laterales, a la izquierda o la derecha, respectivamente. Se tratan de personajes de dibujos infantiles, elaborados con delineación a color de las formas, y relleno en otro color. Durante la aparición, los personajes tienen las facciones de la cara animadas, creando acción de movimiento en la boca, los ojos y las manos.

El segundo plano se dispone una imagen realista de la pintura de *Las meninas*, que aparece colocada en el centro de la composición. En la primera escena, que corresponde a la narración del personaje de la Infanta Margarita, se reprenta la totalidad de la pintura, enmarcada en un borde de líneas negras y marrones. En las escenas segunda y tercera, que corresponden a las narraciones de los pesonajes del pintor Velázquez y del príncipe, respectivamente, se representa la mitad inferior de la pintura de *Las meninas*, lo que a su vez permite un mayor zoom de la imagen para el destacamento de los personajes. De esta manera, al tiempo que en el sonido, la voz del narrador alude a los personajes de la obra, estos se van marcando sobre la imagen con marcas de delineación de las figuras en color blanco y parpadeante.

El fondo recibe un tratamiento neutro, empleando color blanco y desgradado en grises en la parte inferior. Así, se reproduce la estética neutra y solemne que es característica de la exposición de arte en museos, galerías, y colecciones en general.

En el video 3, la imagen visual del video se compone de cuatro elementos principales: una cabecera con los créditos del video; una imagen realista de la pintura de *Las meninas* en el margen izquierdo; la figura de la narradora en el centro; y un espacio vacío en el margen derecho para la visualización de contenidos alternos.

El elemento de la cabecera es fijo y permanente a lo largo de todo el video. Recoge algunos de los datos de créditos del video, especialmente aquellos que son identificativos del video: "Las Meninas. Obras maestras de la pintura en MUSEO NACIONAL DEL PRADO".

En el margenizquierdo, una imagen realista de la pintura de *Las meninas* también es permanente en todo el video. Se trata de una imagen en pantalla táctil digital que, al tacto de la narradora, permite la animación visual. Este recurso es utilizado para destacar los elementos de la pintura que en cada momento la narradora está aludiendo. Para ello, se utiliza el recurso de la delineación de las figuras y el parpadeo de sus bordes en color blanco.

En el centro se dispone la figura humana de la narradora, en plano americano y posición frontal. Aparece caracterizada por una vestimenta formal, aunque dispuesta de forma casual: viste una camisa de manga larga y fular al cuello de igual color, y pantalón liso negro; sin embargo, los bajos de la camisa aparecen por fuera del patalón, así como las mangas de la camisa están remangados. El tratamiento casual de la caracterización de la narradora otorga calidez y cercanía hacia el espectador, al mismo tiempo que mantiene el carácter formal que otorga autoridad sobre la información que comunica acerca de la pintura de *Las meninas*.

En el video 4, la estética del video está basada en la inserción de imágenes realistas de la pintura de corte de Diego Veláquez (retratos de príncipes y reyes, etc.), que reciben un tratamiento de animación visual y sonoro. Respecto del tratamiento visual, se insertan diferentes efectos, entre los que destaca la animación visual de las figuras corporales de los personajes en las pinturas como, por ejemplo, en el retrato del Papa Inocencia X, se mueven los dedos de la mano y los ojos (0:40 min.). Otros de los efectos visuales son: la tira de imágenes sucesivas y la transición de imágenes superpuestas entre sí. Ejemplo de este último efecto es la transisción de imágenes de retratos del Rey Felipe IV, de menor a mayor a edad (0:55-1:20 min.).

Al respecto del tratamiento de animación visual, en el video 1 la apariencia visual de los personajes también es fidedigna a la imagen del cuadro. Para articular la animación de expresión oral de los personajes, se emplea un efecto visual concentrado en la boca de los personajes, por los que se crea la ilusión de que estos mueven la boca para articular las voces y hablar. En el video 4 los efectos visuales y sonoros finalizan con una imagen realista de la pintura de *Las meninas* en la que las diferentes figuras de los personajes son animados, representando diferentes movimientos corporales (doblando el tronco por la cintura, movimientos de muñeca de las manos, etc.), y efectos de sonido murmullo de gente hablando.

En lo que se refiere al tratamiento del sonido del video, en el video 1 este se compone de las voces de los personajes y de un sonido musical de acompañamiento en el fondo. Para las voces de los personajes se utiliza un mismo sonido de voz, aunque los personajes sean distintos y de diferente sexo a lo largo del video. La voz es distorsionada como más aguda para intensificar determinadas frases y momentos de los personajes, y especialmente en el caso de las voces de la Infanta Margarita. Sin embargo, no existe gran diferencia en el tratamiento más agudo de la voz entre los diferentes personajes, de manera que el tono de voz es muy similiar en las frases más intensas tanto del personaje de la Infanta Margarita como del personaje del pintor Diego Velázquez. Por otro lado, a lo largo del video se suceden sonidos de acompañamiento de los diferentes momentos e intensidades narrativas, que son de tipo electrónico y con un ritmo alto. Estos sonidos se asemejan a los de percusión y órgano, cuyos acordes se alargan e intensifican.

En el video 2 se emplean tres tratamientos diferentes. En la primera escena se escucha una música de vilolines con gran ritmo y carácter alegre, que progresivamente se va apagando y desaparece para la escena segunda. En las escenas del personaje de Velázquez se utiliza otro tratamiento del sonido. Esta vez consiste en añadir cierto eco o reverberación a la voz del personaje de Velázquez, que otorga mayor carácter solemne. Finalmente, el tratamiento del sonido en las escenas de los personajes de la Infanta Margarita y del príncipe, y que consiste en el carácter agudo de sus voces, que otorgan carácter infantil.

En el video 4 predomina una música de fondo que acompaña a la voz narrativa y que está basada en pequeños sonidos de cuerda (contrabajo y piano), muy rítmicos. Esta esta interrumpida ocasionalmente por otros efectos de sonido de onomatopeyas y que coinciden con las imágenes visuales de los reyes que Diego Velázquez representa en la pintura de *Las meninas*: ronquidos de Felipe IV, coincidiendo con el momento en que se representa que el personaje cierra los ojos, a través de un efecto de animación visual del movimiento de los ojos (2:15 min.); efecto sonoro similar al del voleteo de un insecto de mosca o mosquito (2:50 min.).

Por último, cabe aludir al tratamiento estético del texto de los subtítulos del video 1. Estos están escritos en lengua española y, a su vez, incorporan la transcripción de palabras y expresiones del dialecto andaluz: "zoi guapa" significando "soy guapa" (2:43 min.); "escuxe" significando "escuche" (00:40 min.). También reproducen el argot de la comunicación escrita por mensajería móvil, de acuerdo a varios aspectos:

- El uso irregular de la representación de emoticones con las letras del teclado español: cara guiñando un ojo y sacando la lengua en tono burlesco: ;P (2:43 min.)

- El uso irregular de los signos de interrogación tan solo en el final de la frase: "mami yo soy guapa? mami yo soy guapa?" (00:02 min.), "yo te parezco guapa?" (00:33 min.).

- El uso de la abreviación irregular de palabras: "keske" abreviando "que es que", "mu" abreviando "muy" en "mami será keske yo no soi mu guapaaaa" (00:25 min.); "velaske" abreviando "Velázquez" (00:31 min.); "ke" abreviendo "que" (00:45 min.).

4. Discusión de los resultados y Conclusiones

Entre los cuatro videos del análisis se encuentra mayores diferentes entre el video 1 del youtuber Christian Flores y el resto, aunque también se identifican otras diferencias concretas entre el video 4 de Descubrir el arte y los videos 2 y 3 del Museo del Prado. Sin embargo, se encuentra mayor similitud entre los videos 2 y 3 entre sí. Las diferencias entre el video 1 y el resto atañen a las tres variables del análisis (performance, contenidos y estética). A continuación, se explican estas cuestiones con mejor detalle.

Respecto de los contenidos, mientras que los contenidos dominantes en el video 1 son de tipo social (condición de la mujer en la época, matrimonio concertado de las niñas; véase tabla 3 de los resultados), en los videos 2 y 3 estos son mayoritariamente de tipo técnico, descriptivo y de importancia de la obra. Los contenidos de tipo social son más recurrentes en el imaginario cultural general de las sociedades (Beroza, 2017). De esta manera, el público con un conocimiento anterior básico o general sobre el arte y los museos – que es el tipo de público más común entre jóvenes estudiantes y de estudios no profesionalizantes en el campo del arte, como los Grados en Educación Infantil y en Educación Primaria, a los que se aludían en el apartado de Introducción de este trabajo-, va a poder desarrollar procesos dialógicos de la comunicación y del aprendizaje más fácilmente con contenidos de tipo social, que con contenidos artísticos de tipo técnico, descriptivo o de importancia de la obra, dado que en muchos de los casos, este público no dispondrá de un conocimiento anterior suficiente como para establecer asociaciones iniciales de los significados de los datos y, por tanto (Oliveira, Magalhães Porto y Alves, 2019), presentará importantes dificultades para retener y dialogar con esta información.

Respecto de la performance, mientras la performance del video 1 está basada en un diálogo musical de los personajes al ritmo de música trap, en los videos 2, 3 y 4 la historia se desarrolla a través de voces de narradores, que en el video 2, de estilo infantilizado, corresponde a personajes de dibujos animados; en el video 3 corresonde a una figura humana de profesional del arte; y en el video 4 corresponde a una voz en *off*.

Y respecto de la estética, los cuatro videos coinciden en el uso de la imagen fotográfica realista de la pintura de *Las meninas*. Sin embargo, cabe destacar que en el video 1 la calidad de la imagen fotográfica de la pintura es de muy mala calidad, sobre la que puede llegar a observarse cierta granulación de la imagen. En el resto de los videos las imágenes que se emplean son de alta calidad y definición. McRoberts, Bonsignore y Peyton (2016) también encuentran diferencias de la calidad de la imagen entre videos publicados en YouTube que son elaborados por adolescentes y jóvenes youtubers y los elaborados por profesionales: "We found 74% of youth had videos with either no editing at all, or content minimally cut together" (p. 340). Por otro lado, vuelven a encontrarse notables diferencias notables en el tratamiento estético de las imágenes.

4.1. Conclusiones

Para el objetivo de la investigación, en este trabajo nos preguntamos por las características que hicieron que el video de *Velaske, yo soy guapa?* (25/11/2017) de Christian Flores hubiera resultado tan atractivo al público joven de estudiantes en las dos experiencias anteriores. La conclusión principal que se encuentra es que este video de Christian Flores aporta los elementos identitarios de la generación de adolescentes y jóvenes actuales (Montes Vozmediano, García Jiménez y Menor Sendra, 2019; García Jiménez, Catalina García y López de Ayala, 2016) y, por tanto, este video presenta un importante potencial educativo para despertar la motivación de los/as estudiantes por el aprendizaje del arte en general, y de la obra de *Las meninas*, en particular, y mantener mejor su atención.

En este sentido y de acuerdo a los resultados encontrados en este trabajo, los elementos del video de Christian Flores que favorecen la motivación y la atención de los jóvenes estudiantes son los contenidos de tipo social, la performance del diálogo musical entre los personajes y una estética basada en el argot de las redes sociales y de los ritmos trap (García Ruiz, Tirado Morueta y Hernando Gómez, 2018; Viñuela Suárez, 2015).

Por tanto, para el futuro de la introducción de las TIC en las aulas y, en concreto, para la introducción de los videos de YouTube como recursos educativos y del aprendizaje, es posible que estemos asistiendo a un nuevo reclamo docente, por el que los recursos didácticos deben adaptarse a las nuevas generaciones de estudiantes para que despierten más y mejor su motivación y, en este sentido, que los recursos también integren los elementos actuales que mejor contribuyen a ello (Burbules, 2016).

A este respecto, quizá los/as docentes debamos desarrollar una actitud más permisiva que la proponían Jones y Cuthrell (2011) y Harris (2010), citados anteriormente en este trabajo, para quienes los criterios de selección de los videos de YouTube para funciones educativas incluían credibilidad, argumentos, editores y un estilo cuidado que no participara de expresiones exagerdadas ni declaraciones radicales. Entonces, si pensamos en la introducción de videos de *youtubers* en las aulas, lo importante será establecer con claridad en la aplicación diáctica.

La función educativa de los videos de youtubers reside en su capacidad para despertar el interés de los jóvenes estudiantes por un tema y en captar su atención (Snelson y Elison-Bowers, 2009). Por tanto, para su aplicación didáctica, estos videos se introducirán al inicio de la lección. De esta manera, a estos les seguirá otras explicaciones o recursos con un tratamiento científico de los contenidos, una performance basada en una ordenación progresiva de la narración del video y una estética con imágenes de calidad.

> "Madre mia… Encontre una tecnica para estudiar lo de la princesa y Velazquez… Esque lo estoy estudiando en el colegio y al ver algo que me gusta mucho (como esta parodia) y te enteras mas de las cosas cuando las estudias… No se si me estpy explicando bien peeero eso me funciona 😊😊😁👋". (Comentario publicado en YouTube por Claudia Negrean en 2018 a la publicación del video de Velaske, yo soy guapa?).

Referencias bibliográficas

Beroza, M. (2017). Youtubers y otras especies: el fenómeno que ha cambiado la manera de entender los contenidos audiovisuales. Madrid: Editorial Ariel y Fundación Telefónica.

Berk, R. (2009). Multimedia teaching with video clips: TV, movies, YouTube, and mtvU in the college classroom. International Journal of Technology in Teaching and Learning, 5 (1), 1-21.

Burbules, N. C. (2016). How We Use and Are Used by Social Media in Education. Educational Theory, 66 (4), 551-565. DOI: https://doi.org/10.1111/edth.12188

Burgess, J., y Green, J. (2018). YouTube: online video and participatory culture (2º ed.). Cambridge, United Kingdom: Polity Press.

Cañadas, María C.; Gómez, Pedro; Pinzón, Andrés (2018). Análisis de contenido. En Gómez, Pedro (Ed.), Formación de profesores de matemáticas y práctica de aula: conceptos y técnicas curriculares (pp. 53-112). Bogotá, Colombia: Universidad de los Andes.

Fraile Seco, D. (2004). Mujer y cultura: la educación de las mujeres en la Edad Moderna. Foro de Educación, 4, 74-88. DOI: https://doi.org/10.14516/fde

García Jiménez, A., Catalina García, B., y López de Ayala, M. C. (2016). Adolescents and YouTube: creation, participation and consumption. Prisma Social, Special Number, 1, 60-89. Disponible en: http://revistaprismasocial.es/article/view/1314/1378

García Ruiz, R., Tirado Morueta, R., y Hernando Gómez, A. (2018). Redes sociales y estudiantes: motivos de uso y gratificaciones. Evidencias para el aprendizaje. Aula Abierta, 47 (3), 291-298. DOI: https://doi.org/10.17811/rifie.47.3.2018.291-298

Gascón Uceda, M. I. (2013). Entre el deseo y la realidad: mujer y matrimonio en la Edad Moderna (153-171). En Pilar Pezzi Cristóbal (Coord.), Historia(s) de mujeres en homenaje a Mª Teresa López Beltrán. Málaga, España: Perséfone: ediciones electrónicas de la AEHM / UMA. Disponible en: http://www.aehm.uma.es/persefone/Homenaje_Maite2_ISBN.pdf [Consultado: 11/06/2019]

Hussein Al-Mosawi, F. (2018). Finger Family Collection YouTube Videos Nursery Rhymes Impact on Iraqi EFL Pupils' Performance in Speaking Skills. Opción, Núm. Especial, 17, 452-474. Disponible en: http://produccioncientificaluz.org/index.php/opcion/article/view/24147/24603

Oliveira, K. E., Magalhães Porto, C. de, y Alves, A. L. (2019). Memes de redes sociais digitais enquanto objetos de aprendizagem na Cibercultura: da viralização à educação. Acta Scientiarum, 41, 1-11. Doi: http://dx.doi.org/10.4025/actascieduc.v41i1.42469

Jones, T., y Cuthrell, K. (2011). YouTube: Educational Potentials and Pitfalls. Computers in the Schools, 28 (1), 75-85. DOI: http://dx.doi.org/10.1080/07380569.2011.553149

Mayora, C. (2009). Using YouTube to encourage authentic writing in the EFL classrooms. TESL Reporter, 42 (1), 1–12.

McRoberts, S., Bonsignore, E. , y Peyton, T. (2016). Do It for the Viewers! Audience Engagement Behaviors of Young YouTubers. En IDC '16, Proceedings of the The 15th International Conference on Interaction Design and Children, June 21-24, 2016 (pp. 334-343). Manchester, United Kingdom. DOI: http://dx.doi.org/10.1145/2930674.2930676

Méndez Garrido, J. M., y Delgado García, M. (2016). Las TIC en centros de Educación Primaria y Secundaria de Andalucía. Un estudio de casos a partir de buenas prácticas. Digital Education Review, 29, 134-165. DOI: https://doi.org/10.1344/der.2016.29.134-165

Montes Vozmediano, M., García Jiménez, A., y Menor Sendra, J. (2018). Los videos de los adolescentes en YouTube: Características y vulnerabilidades digitales. Comunicar, 4 (XXVI), 61-69. DOI: https://doi.org/10.3916/C54-2018-06

Muñoz, N. I. (1999). La (des)agentivación en el lenguaje científico y en el de divulgación. Anclajes, 3 (3), 95-105.

Pereira, S., Moura, P., y Fillol, P. (2018). El fenómeno de los YouTubers: ¿qué hace que las estrellas de YouTube sean tan populares entre los jóvenes? Fonseca. Journal of Communication, 17, 107-123. DOI: https://doi.org/10.14201/fjc201817107123

Polo, S. (2017). 'Velaske, yo soi guapa?': el 'trap' viral que reivindica la historia de 'Las Meninas'. El Mundo. 05/12/2017. Disponible en: https://www.el-mundo.es/f5/mira/2017/12/05/5a265f85e2704e0a7e8b4647.html [Consultado: 10/05/2019].

Snelson, C., y Elison-Bowers, P. (2009). Using YouTube videos to engage the affective domain in elearning. Research, Reflections and Innovations in Integrating ICT in Education, 3, 1481-1485.

Viñuela Suárez, E. (2015). La música como elemento satírico en la edición de videos de contenido político en youtube: el uso del AutoTune. Revista de Comunicación de la SEEC, 37, 268-284. DOI: http://dx.doi.org/10.15198/seeci.2015.37.268-298

Capítulo V

RE-PENSANDO EL APRENDIZAJE A TRAVÉS DE UN ENTORNO UBICUO

Dr. Antonio Merchán Murillo

Centro Universitario San Isidoro
(Centro Adscrito a la Universidad Pablo de Olavide), España

D. Pablo Martín Ramallal

Centro Universitario San Isidoro
(Centro Adscrito a la Universidad Pablo de Olavide), España

Resumen

El aprendizaje ubicuo, etiquetado como u-learning, aprovecha el contenido digital, el entorno físico, los dispositivos móviles, los componentes generalizados y la comunicación inalámbrica para brindar experiencias de enseñanza-aprendizaje a los usuarios en cualquier momento, en cualquier lugar y, de todos modos. U-learning representa un paradigma emergente que difunde la educación en diversos entornos, donde los usuarios se encuentran en contextos de aprendizaje auténticos para enfrentar experiencias inmersivas con el fin de lograr un aprendizaje significativo. Educación en todos lados y en todas partes. No obstante, si bien puede decirse que el u-Learning puede transformar la educación tradicional impartida en el aula, mediante el aprendizaje electrónico, surgen retos motivacionales, emocionales y otras cuestiones que dejan al descubierto disfunciones del medio empleado, porque hoy día no son pocos los cursos o Máster online que se imparte y, tampoco, son pocos los alumnos que fracasan a la hora de hacerlos. Observando este contexto, pretendemos ofrecer una visión, práctica de cómo funciona el medio y de los retos que se presentan.

Palabras clave

U-learning, Aprendizaje ubicuo, Educación online, retos, TIC.

1. Introducción

El aprendizaje ubicuo (u-Learning), junto con los apoyos del mundo digital, se reconoce como un enfoque eficaz para situar a los estudiantes en entornos de aprendizaje del mundo real (Gómez, 2009). El presente estudio tiene como objetivo reflexionar sobre los estilos de enseñanza (Cols, 2011) y los estilos de aprendizaje (Avilés, 2003). De esta forma, pretendemos ofrecer una visión práctica de este paradigma emergente, llamado a ocupar un lugar destacado en la formación (Galindo, 2004). En el seno de una cibercultura donde los conocimientos adquiridos hoy, así como los modos de impartición de estos quedarán obsoletos en menos tiempo que la duración de una carrera (Lévy, 2000), se hace fundamental contar con instrumentos que se adapten a esta nueva coyuntura. Ahora las herramientas de transmisión y renovación del conocimiento sustentados en el ciberespacio se antojan imprescindibles en el nuevo marco de la sociedad 2.0. El u-Learning, se erige pues, como una solución adaptada a los nuevos modos sociales y educativos que impone un mundo hiperconectado (Castells, 2005), donde las relaciones interpersonales se dan de forma ubicua gracias, entre otros, a los nuevos paradigmas de interacción (Esteve, 2016).

Puede decirse que, actualmente, existen diferentes tecnologías de medios que se aplican a la educación para desarrollar procesos de aprendizaje mediados por las tecnologías de información y comunicación (TIC). De todas ellas destacamos por relevancia y por interés para los investigadores el aprendizaje electrónico (e-Learning), el aprendizaje móvil (m-Learning), el aprendizaje de juegos (g-Learning) y el aprendizaje ubicuo (u-Learning). Todos ellos se han convertido en un apoyo importante para los procesos educativos actuales.

Apoyándonos en los postulados de Marqués (2013:6), "la "sociedad de la información" en general y las nuevas tecnologías en particular inciden de manera significativa en todos los niveles del mundo educativo". En el caso concreto de este documento, nos ocuparemos de este hecho desde el nuevo discurso educativo que ofrece el u-Learning

En este contexto, surge la necesidad de investigar cómo se pueden desarrollar los procesos académicos, las estrategias pedagógicas, los modelos y las metodologías de educación mediante el uso del u-Learning. Este concepto abre un amplio espectro de necesidades para desarrollar nuevas investigaciones que impliquen el desarrollo de las TIC en el aprendizaje ubicuo.

2. La tecnología como base de la experiencia

La tecnología, más específicamente la tecnología informática, es uno de los medios más recientes incorporados a la ensennñanza. La tecnología, en sentido amplio, siempre ha sido considerada como el catalizador de la reforma educativa. La radio, las películas, la televisión y la grabación de videos fueron tuvieron un impacto importante, pero se ha ido más allá.

En un momento dado, se predijo y se dijo, en muchos sectores de la sociedad, que la tecnología evolucionaría, cambiaría y mejorarían la educación.

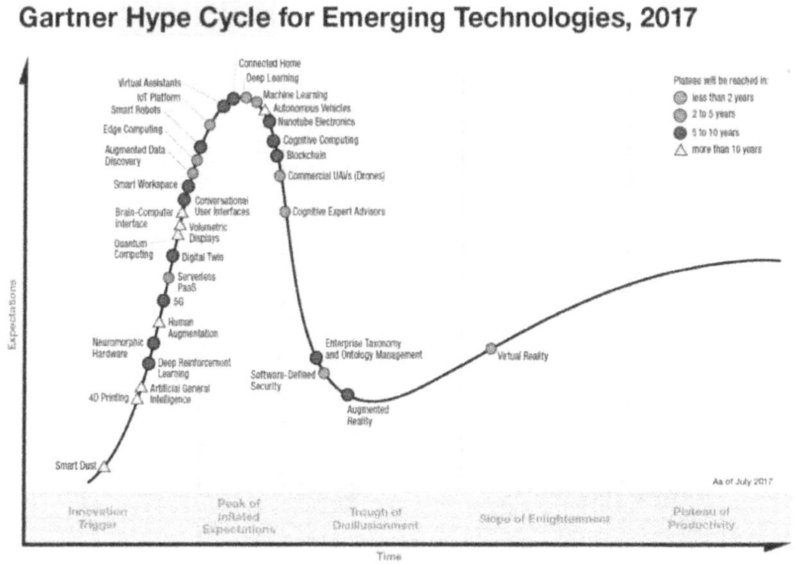

Figura 1: Gartner (2017). Hyper cycle.
https://www.gartner.com/smarterwithgartner/top-trends-in-the-gartner-hype-cycle-for-emerging-technologies-2017/

Sin embargo, sus efectos variaron en términos de mejora duradera y cambio. Thomas Edison expresó su creencia con respecto a la tecnología y la educación: "Creo que la película está destinada a revolucionar nuestro sistema educativo y en pocos años suplantará en gran medida, si no del todo, el uso de libros de texto" (según lo citado por Cuban, 1986, p.9). Este es un ejemplo de una predicción de este tipo que no se materializó completamente, ya que los libros de texto actualmente desempeñan un papel importante en los planes de estudio.

Ahora, con u-learning aparece la computación en nube; es decir, educación para todos y en todas partes, permitiendo a los alumnos acceder a la información en cualquier momento. La CC tiene la capacidad de implementar a varios modelos y marcos. La clasificación más común es el modelo de servicios de software, plataforma e infraestructura con software como servicio (SaaS), plataforma como servicio (PaaS) e infraestructura como servicio (IaaS) (Shojaiemehra et al., 2018).

La mayoría de las plataformas serán del modelo de SaaS, otorgando a las partes la capacidad de utilizar las aplicaciones del proveedor que se ejecutan en una infraestructura de nube. No obstante, también podrá darse el modelo PaaS, que es una extensión de SaaS, no será el administrador quien tiene el control sobre las aplicaciones instaladas y, en algunos casos, la configuración del entorno de alojamiento (Armbrust, 2009). Por consiguiente, no administran ni controlan la infraestructura de la nube central, como servidores, sistemas operativos o almacenamiento. Asimismo, la plataforma o foro facilitado, será accesible al público en general (Cnudmi, 2010), como pudiera ser un sitio en Internet (plataforma abierta o pública) o una plataforma de acceso limitado o restringido, como sería el caso de un sistema interno de gestión de archivos informáticos o Intranet (plataforma cerrada o privada) (Joyanes, 2012).

Los métodos de enseñanza del aprendizaje ubicuo parten de estrategias didácticas y pedagógicas innovadoras, focalizando la orientación y guía permanente, sincrónica y asincrónica, posibilitando el acceso al conocimiento por medio de construcciones ágiles y cooperativas. Ese aprendizaje, en colaboración con los pares y docentes, permite adquirir la competencia de "aprender a aprender" a partir de "enseñar a aprender", por lo que se requiere "aprender a enseñar" (Lévy, 2000). En este nuevo contexto, se pretende, como objetivo principal de los sistemas de educación y formación europeos, no sólo satisfacer las necesidades específicas del mercado laboral, como se viene haciendo en la mayoría de los casos se centra la política educativa, sino educar para la vida.

Desde este punto de vista, se pretende analizar los materiales informáticos y recursos existentes en la red, partiendo de la problemática del medio,

3. La computación ubicua: hacia el u-learning

Según Sakamura y Koshizuka (2005), la computación ubicua puede considerarse como "una nueva tendencia de las tecnologías de la información y la comunicación". El término "computación ubicua" fue descrito como "la tecnología calmada, que retrocede en el fondo de nuestras vidas". Su visión permite que las personas y el medio ambiente combinen varias tecnologías computacionales para intercambiar información y servicios en cualquier momento y en cualquier lugar (Weiser, 1991).

Las tecnologías de la computación y la comunicación se encuentran entre las tecnologías clave que forman la computación en nube, que es donde encuadramos el u-learning. El avance de ésta, junto con la mejora de las tecnologías de comunicación inalámbrica, en la actualidad, se han desarrollado diversas tecnologías informáticas y de comunicación, como sensores, tarjetas de identificación por radiofrecuencia, equipos de comunicación inalámbrica, teléfonos móviles, PDA (con asistente digital personal) y ordenadores portátiles.

En este contexto, como establece Lyytinen y Yoo (2002), en el mismo sentido que hemos manifestado, "la evolución de la computación ubicua se ha acelerado con la mejora de las capacidades de telecomunicaciones inalámbricas, redes abiertas, aumentos continuos en el poder de cómputo, tecnología de baterías mejorada y la aparición de arquitecturas de software flexibles". Esto conduce a u-learning, que permite actividades de aprendizaje individual integradas en la vida diaria.

Sin embargo, como lo mencionó Hwang (2008), no existe una definición clara de u-learning debido a los rápidos cambios en los entornos de aprendizaje. Hasta ahora, se tienen diferentes puntos de vista en la definición del término "u-learning". Nosotros obtaremos por una amplia, para un contexto amplio, sin entrar en definiciones, concretas que nos desvíe de nuestro objeto: re-pensar el aprendizaje ubicuo.

Por ello, decimos que u-learning es aprendizaje en cualquier lugar y en cualquier momento, refiriéndonos con ello a cualquier entorno que permita a cualquier dispositivo de aprendizaje móvil acceder a los contenidos de aprendizaje y enseñanza a través de la nube, en cualquier ubicación y en cualquier momento. Como decimos, el rol más importante de la tecnología de computación ubicua en u-learning es construir un entorno de aprendizaje ubicuo, que permita a cualquier persona aprender en cualquier lugar y en cualquier momento.

4. El aprendizaje ubicuo como medio para la enseñanza

Con lo anterior, hemos pretendido adelantar que U-learning utiliza contenido digital, dispositivos móviles y componentes omnipresentes (Cárdenas-Robledo y Peña-Ayala, 2019), según el entorno físico y la comunicación inalámbrica para interactuar con los aprendices o usuarios en cualquier momento y lugar, si está disponible, con el avance de las redes de computación ubicuas (Cárdenas-Robledo y Peña-Ayala, 2018; Cope y Kalantzis, 2013).

U-learning no solo es un dominio de la tecnología educativa, sino que también está estrechamente relacionado con otras disciplinas, incluidas las ciencias de la computación, la tecnología de la información, la psicología y las ciencias cognitivas (Cárdenas-Robledo y Peña-Ayala, 2018).

La tecnología U-learning tiene ventajas en una red de computación ubicua, que está ausente en los formatos tradicionales de aprendizaje presencial o en el aprendizaje electrónico convencional (Hamidi y Chavoshi, 2018; Moreira et al., 2017). Los estudios anteriores sobre u-learning tienen dos perspectivas principales:

1) Desde la perspectiva de la percepción de los usuarios (por ejemplo, las ventajas y desventajas percibidas) y la motivación para utilizar el aprendizaje y la capacitación.

2) Desde la perspectiva de las computadoras y la configuración de otros dispositivos de tecnología digital y las características de interacción (Batalla-Busquets y Martínez-Argüelles, 2014).

El compromiso de aprendizaje original es el grado de la calidad del esfuerzo de los estudiantes que pretenden obtener los resultados esperados en las escuelas tradicionales. En entornos de educación a distancia el compromiso se basa en esfuerzo conductuales, cognitivos y emocionales (Fredricks et al., 2004).

Específicamente:

a) El compromiso conductual se refiere a actividades que se relacionan con el aprendizaje en sí mismo y plantean problemas durante el proceso de aprendizaje;

b) El compromiso cognitivo es el grado de los esfuerzos cognitivos de los alumnos para obtener información compleja, resolver o conciliar los problemas encontrados y desarrollar habilidades en el proceso de aprendizaje digital;

c) El compromiso emocional es el grado de sentimientos positivos que los alumnos tienen hacia los instructores, sus compañeros y/o el aprendizaje digital en sí.

Junto a lo anterior, surge una cuestión que debemos considerar con mayor firmeza: la motivación (Hwang y Tsai, 2011). La motivación y los logros de los estudiantes de acuerdo con diversos paradigmas pedagógicos, especialmente cuando los alumnos realizan una autoevaluación a través de diversos recursos (Looi et al., 2015).

5. La problemática del medio online: una cuestión motivacional

Los nuevos entornos educativos, particularmente aquellos basados en las tecnologías de la información y la comunicación, exigen que los estudiantes regulen conscientemente el proceso de aprendizaje para alcanzar sus metas de manera eficiente. Sin embargo, la mayoría de los enfoques persiguen la adquisición de dominio-conocimiento.

De esta forma, el uso de la tecnología digital durante los procesos de enseñanza y aprendizaje para mejorar la calidad del aprendizaje de los estudiantes. Se pide que se proporcionen al menos tres funcionalidades:

1) Entrega de contenido digital y recursos de aprendizaje;

2) Habilitación de la comunicación, colaboración y reflexión;

3) El uso de datos de registro para fomentar nuevas formas de apoyo al alumno.

Con lo anterior, se piensa que la tecnología es capaz de ayudar a los alumnos a utilizar habilidades de pensamiento de orden superior para planificar y desarrollar la investigación, resolver problemas y tomar decisiones acertadas utilizando herramientas y materiales digitales adecuados (ISTE, 2007).

El aprendizaje ubicuo (u-Learning) surge como un nuevo paradigma que combina el poder de la computación ubicua (Krumm, 2009), las ventajas del aprendizaje móvil (Ally & Prieto-Blázquez, 2014) y el Facultades sensoriales de aprendizaje generalizado (Peña-Ayala y Cárdenas, 2016). Todo esto con el propósito de recrear escenarios de aprendizaje que son conscientes del contexto y del estudiante para entornos interiores y exteriores.

Ahora bien, en un método o enfoque diferente de aprendizaje, como puede ser el online, se pide adaptación a los estudiantes, pero no se tienen en cuenta sus preferencias cognitivas y afectivas, lo que probablemente conlleve a incomodidad, dejadez y, con ello, frustración por parte del alumnado. Es cierto que las herramientas han sido elegidas conscientemente por el alumno, pero esto está directamente relacionado con la comprensión de un tema.

Este hecho deberá conllevar, por parte del profesorado la necesidad de implementar técnicas disruptivas que permitan la familiarización con el medio, a través de herramientas pedagógicas. Con ello, debe pensarse que es cierto que un entorno virtual y ubicuo da facilidad-flexibilidad, espacio-tiempo, también es cierto el aislamiento, falta de confianza con el medio ante la falta de apoyo, lo que conduce a un rendimiento deficiente del aprendizaje.

Los resultados empíricos indican que la autoeficacia del ordenador, las características del sistema y las características del material digital son factores críticos que afectan las expectativas de los estudiantes. De esta forma, debe tenerse en cuenta que, ante la falta de contacto personal, al diseñar el medio de aprendizaje online, se deberían desarrollar técnicas que faciliten la interacción comunicativa y social entre los profesores y estudiantes y entre éstos últimos. Asimismo, los profesores deben comprometerse a utilizar materiales de enseñanza interesantes y tener actitudes educativas animadas, creando un ambiente agradable de comprensión en el propio entorno virtual.

En este contexto debemos observar una cuestión fundamental: la motivacional. Un ejemplo, puede observarse en Lin, Zhang y Zheng (2017) que analizan la motivación y el uso de la estrategia de aprendizaje ubicuo de los estudiantes en diversos cursos de idiomas en línea y examinan el papel de la motivación de dichas estrategias en el marco del aprendizaje autorregulado.

Las variables motivacionales pueden afectar a los resultados de aprendizaje, porque en los entornos de aprendizaje (en línea), los estudiantes pueden decidir por sí mismos si continúan trabajando en una tarea (secuencia) o no, por lo que la motivación de una secuencia de tareas es importante.

En lo dicho anteriormente, destacar que Van Gog et al. (2011) estableció que la motivación que pueden verse afectados por las secuencias de problemas tres problemas: la autoeficacia, la competencia percibida y el interés del tema.

La autoeficacia es una construcción clave en la teoría del aprendizaje social de Bandura y puede definirse como la creencia de una persona en su propia capacidad para organizar o cumplir una tarea o desafío específico. Por otro lado, La competencia percibida juega un papel central en Deci y Ryan (2002) autodeterminan la teoría de la motivación y también han demostrado tener una influencia significativa en la motivación académica y los resultados de aprendizaje (por ejemplo, Bong y Skaalvik, 2003).

6. Los retos

El avance de las tecnologías de computación, junto con la mejora de las tecnologías, en la actualidad, ayuda a apoyar la expansión de la computación ubicua. Esto incide en la calidad y la funcionalidad confiable del sistema. No obstante, no es lo único que importa. El acceso ubicuo a los recursos de aprendizaje, los contenidos de material digital diversificado y la información de aprendizaje actualizado deben ser objeto de discusión para el éxito de un sistema de aprendizaje basado en la web y evitar el fracaso, del mismo (Chiu, Huang, Tsai, et al., 2009). Por qué el aprendizaje a través de la tecnología, como en el entorno ubicuo, no es una panacea, sino un reto para todos.

Los estudiantes tienen el reto de aprender una variedad de habilidades necesarias para desarrollar trabajos en las empresas, que, igualmente, están cambiando. Por tanto, el trabajo y los perfiles exigidos por éstas son cada vez más diferentes. En consecuencia, las TIC en las empresas han creado la necesidad de trabajos más especializados, lo que ha abierto la puerta a nuevos empleos y nuevas actividades profesionales, lo que debe llevar a formar personas familiarizadas con el medio en el que se desenvuelven.

En este sentido, debe tenerse en cuenta que la sociedad digital exige una voluntad de apertura a los cambios, en nuestros sistemas de educación y formación, a favor del desarrollo de conocimientos, habilidades y capacidades de los ciudadanos, en una amplia gama de temas, competencias sociales, cívicas y culturales.

Con esto en mente, surge la necesidad de desarrollar contenido educativo adecuado, métodos pedagógicos eficientes, prácticas de enseñanza innovadoras y paradigmas de aprendizaje novedosos, así como desarrollar habilidades de pensamiento de orden superior de los estudiantes que facilitan el aprendizaje para aprender e incluir los beneficios de las tecnologías de la información y la comunicación.

Ahora bien, normalmente nos encontramos escasos equipos informáticos, con la imposibilidad de incluir una fase de capacitación para enseñar el método cibernético y las estrategias de aprendizaje para los estudiantes, y la actitud escéptica de académicos para aceptar paradigmas de enseñanza novedosos en lugar de los tradicionales.

La calidad y la funcionalidad confiable del sistema, el acceso ubicuo a los recursos de aprendizaje, los contenidos de material digital diversificado y la información de aprendizaje actualizada son esenciales para el éxito de un sistema de aprendizaje basado en la web. Varios estudios empíricos (Chen, 2010, Liaw, 2008, Pituch y Lee, 2006) han enfatizado que los estudiantes que perciban un mayor nivel en las características propias del sistema y en los materiales digitales tendrán un mayor nivel de expectativas en los resultados esperados, lo que a su vez reforzará la confianza y la satisfacción del estudiante, así como su experiencia de aprendizaje.

Se dice que una persona está aprendiendo, cuando está en el proceso de adquirir conocimiento o habilidad. Por lo tanto, no se puede suponer que al verter la cabeza de una persona la información, se dice que el/la alumno/alumna está aprendiendo. Lo mismo pasa en un entorno ubicuo; pues, no puede suponerse que el hecho de subir unos apuntes, un video tutorial y luego con hacer la evaluación, normalmente a través de un tipo test y/o un caso práctico) ya ha adquirido el conocimiento.

El conocimiento se adquiere a través de la interacción entre el individuo y el medio ambiente. Por lo tanto, muchos investigadores creen que aprender haciendo (Schank, 1995) es la mejor manera de aprender. Aprender haciendo enseñar a enseñar implícitamente en lugar de explícitamente, pero las cosas que se aprenden implícitamente solo necesitan experimentarse de la manera adecuada en el momento adecuado. Por lo tanto, debemos permitir que los estudiantes estén en un entorno que sea útil para sus intereses.

En este contexto, es importante que los docentes usen y se impliquen a la vez en metodologías disruptivas con materiales de enseñanza prácticos e interesantes, y se formen en el uso de las tecnologías, con objeto de tener actitudes educativas, acordes al medio. Asimismo, será necesario que adopten formas animadas de enseñanza, para crear un ambiente ideal de comprensión en el propio entorno virtual. Todo ello, con el objetivo de eliminar los sentimientos negativos e impotencia, reduciéndose con ello el posible grado de frustración que puedan alcanzar con los materiales de aprendizaje por este medio (Cheng Chen, 2014). Mediante la construcción de un clima de aprendizaje agradable junto con las funcionalidades del sistema, y el uso de materiales de aprendizaje práctico, los estudiantes lograrán fácilmente los resultados de aprendizaje.

A lo anterior, conviene indicar como los ordenadores utilizadas por el estudiante puedan proporcionar a los estudiantes información y servicios relevantes cuando lo necesiten, al detectar automáticamente los datos del contexto y generar inteligentemente lo que se requiere (Cheng & Marsic, 2002). Esta visión también fue compartida por Yang et al. (2006). También se sugiere que las computadoras utilizadas por el estudiante puedan proporcionar a los estudiantes información y servicios relevantes cuando lo necesiten, al detectar automáticamente los datos del contexto y generar inteligentemente lo que se requiere (Cheng & Marsic, 2002). Esta visión también fue compartida por Yang et al. (2006).

Lo dicho debe servir para atraer a personas no tan familiarizadas con el entorno virtual y al mismo tiempo a los estudiantes universitarios de hoy en día tienen perspectivas bien construidas sobre las herramientas tecnológicas que utilizan para ser intuitivas, prácticas y omnipresentes.

7. Conclusiones

El avance de las tecnologías de la computación y la comunicación ha promovido los paradigmas de aprendizaje del aprendizaje convencional al e-learning, del e-learning al m-learning y ahora está evolucionando a u-learning. U-learning tiene como objetivo acomodar a los estudiantes en su estilo de aprendizaje, proporcionando información adecuada en cualquier momento y en cualquier lugar que deseen.

Ahora bien, el objetivo principal de los sistemas de educación y formación europeos no debe ser solo satisfacer las necesidades específicas del mercado laboral, aspecto en el que mayoritariamente se centra la política educativa, sino educar para la vida.

En este contexto, la calidad y la funcionalidad confiable del sistema, el acceso ubicuo a los recursos de aprendizaje, los contenidos de material digital diversificado y la información de aprendizaje actualizada deben ser objeto de discusión para el éxito de un sistema de aprendizaje basado en la web y evitar el fracaso, del mismo. Por qué el aprendizaje a través de la tecnología, como en el entorno ubicuo, no es una panacea, sino un reto para todos.

Referencias bibliográficas

Armbrust, M.; Fox, A.; Griffith, R.; Joseph, A.; Katz, R.; Konwinski, A.; Lee, G.; Patterson, D.; Rabkin, A.; Stoica, I.; Zaharia, M. (2009): "Above the Clouds: A Berkeley View of Cloud Computing", *Electrical Engineering and Computer Sciences University of California at Berkeley*, febrero. Recuperado de: https://www2.eecs.berkeley.edu/Pubs/TechRpts/2009/EECS-2009-28.pdf

Ally, M. & Prieto-Blázquez, J. (2014). What is the future of mobile learning in education? Mobile Learning Applications in Higher Education [Special Section]. *Revista de Universidad y Sociedad del Conocimiento (RUSC)*. Vol. 11, No 1. pp. 142-151.

Amaral, L. & Meurers, D. (2011). *On using intelligent computer-assisted language learning in real-life foreign language teaching and learning*. ReCALL, 23 (1), 4-24

Avilés, R. M. H. (2006). Estilos de enseñanza y aprendizaje en escenarios educativos. *Educatio siglo XXI*, 24, pp. 211 – 216.

Bong, M., & Skaalvik, E. M. (2003). Academic Self-Concept and Self-Efficacy: How Different Are They Really? Educational Psychology Review, 15, 1-40.

Cárdenas-Robledo, L. A., Peña Ayala, A. (2018). Ubiquitous learning: A systematic review. Telematics and Informatics 35(5): 1097-1132.

Cárdenas-Robledo, L. A., Peña Ayala, A. (2019). A holistic self-regulated learning model: A proposal and application in ubiquitous-learning. Expert Syst. Appl. 123: 299-314.

Cheng, L. & Marsic, I. (2002). Piecewise Network Awareness Service for Wireless/Mobile Pervasive Computing. Mobile Networks and Applications (MONET), vol.17, no.4, pp.269-278.

Chen, Y.S., Kao, T.C., Sheu, J. P. & Chiang, CY. (2002). A Mobile Scaffolding-Aid-Based Bird - Watching Learning System, Proceedings of IEEE International Workshop on Wireless and Mobile Technologies in Education (WMTE'02), pp.15-22.

Chiu, P.S., Huang.Y, Kuo, Y., & Chen. T. (2009). A Meaningful Learning based u-Learning Evaluation Model, Eighth IEEE International Conference on Advanced Learning Technologies, pp. 77-81.

Cols, E. (2011). Estilos de enseñanza. *Editorial: homo sapiens*.

Cuban, L. (1986). Teachers and Machines: The Classroom Use of Technology Since 1920. New York: Teachers College Press.

Cope, Bill and Mary Kalantzis. (2013). Multiliteracies: New Literacies, New Learning, pp. 105-135.

Deci, E. L., y Ryan, R. M. (Eds.), (2002). Handbook of self-determination research. Rochester, NY: University of Rochester Press

El-Bishouty, M.M. & Ogata, H. (2007). Personalized knowledge awareness map for computer supported ubiquitous learning. *Educational Technology and Society,* 10 (3), 122-134.

Esteve, F. (2016). Bolonia y las TIC: de la docencia 1.0 al aprendizaje 2.0. *La cuestión universitaria*, 5, 58-67.

Fredricks, J. A., Blumenfeld, P. C., & Paris, A. (2004). School engagement: Potential of the concept: State of the evidence. Review of Educational Research, 74, 59–119.

Galindo, L. J. (2004). Cibercultura en la investigación. Intersubjetividad y producción de conocimiento. *Textos de la CiberSociedad*, núm. 3. Recuperado de:

http://www.cibersociedad.net/textos/articulo.php?art=11

Gómez, E. I. F., & Ramírez, M. B. (2009). U-learning: el futuro está aquí. *Madrid: Ra-Ma Editores.*

Joyanes Aguilar, L. (2012): "Computación en la nube (Notas para una estrategia española en cloud computing)", *Revista del instituto español de estudios estratégicos*, núm. 0.

Liyytinen, K. & Yoo, Y. (2002). Issues and Challenges in Ubiquitous Computing. Communications of the ACM, vol.45, no.1 2, pp.62 - 65.

Lévy, P. (2000). *La cibercultura y la educación. Pedagogía y saberes*, 14, 23-31.

Hwang, G.J., Yang, T.C., Tsai, C.C. et al (2009). A context-aware ubiquitous learning environment for conducting complex experimental procedures. *Computers & Education*, 53 (2), 402-413.

ISTE - International Society for Technology in Education. Recuperado de: http://www.iste.org

Looi, CK., Zhang, B., Chen, W., Seow, P., Chia, G., Norris, C. (2011). Mbile inquiry learning experience for primary science students: a study of learning effectiveness, Journal of Computer Assisted Learning, 27 (2011), pp. 269-287

Martínez-Argüelles, M.J, Batalla-Busquets, J.M. (2016). Perceived service quality and student loyalty in an online university. International Review of Research in Open and Distributed Learning, 17(4):264-279

Sakamura K. & Koshizuka N. (2005). Ubiquitous Computing Technologies for Ubiquitous Learning, Proceedings of the 2005 IEEE International Workshop on Wireless and Mobile Technologies in Education (WMTE ?5), pp.1 1-20.

Schank, C. (1995). Lo que aprendemos cuando aprendemos haciendo. Informe Técnico No. 60, Northwestern University, Institute for Learning Sciences. Recuperado de:

http://cogprints.org/637/0/LearnbyDoing_Schank.html

Shojaiemehra Amir, B.; Rahmania Nooruldeen, M.; Qader, N. (2018): "Cloud computing service negotiation: A systematic review", Computer Standards & Interfaces, pp., 196-206.

Weiser, M. (1991). The computer of the 21st century. Scientific American, vol.265, no.3, pp. 6675.

Yang, T-Z., Kuo, F-R., Hwang, J-G. & Chu, H-C. (2008) A Computer Assisted Approach for Designing Context-Aware Ubiquitous Learning Activities. 2008 IEEE International Conference on Sensor Networks, Ubiquitous and Trustworthy

JOGOS DIGITAIS COMO UM ALIADO PARA EDUCAÇÃO: UM ESTUDO DE CASO DO ASSASIN´S CREED – ORIGINS NAS AULAS DE HISTÓRIA

Prof. Jesse Nery Filho

Universidade de Aveiro, Portugal
Instituto Federal Baiano, Brasil

Andersen Caribé de Oliveira

Centro Educacional Vitória Régia e Escola Municipal Nova Sussuarana, Brasil

Resumo

No mundo contemporâneo os jogos digitais estão presentes em diferentes espaços, sejam nas casas, na rua e nas escolas. A interação com os dispositivos móveis e o assunto jogos digitais é objeto de discussão entre jovens educandos nos intervalos e nas salas de aula. Para além destes espaços, os jogos digitais, também tornaram-se objetos de pesquisa, sendo desenvolvidas em campos de estudo como design, computação, narrativa, música, educação, entre outros. Assim, várias pesquisas vêm sendo desenvolvidas no âmbito educacional, seja com o objetivo da produção de jogos com propósitos de aprendizagens, sejam pesquisas focadas para analisar a interação dos educandos com os jogos digitais já produzidos comercialmente. Diante disso, o número de estudos que usam jogos comerciais para fins educativos vem aumentado nos últimos anos. No campo de estudo da História e educação não é diferente, os jogos digitais são objetos de estudo, para aqueles que investigam sobre as formas de apropriação da História. Nesta comunicação, analisamos as possibilidades pedagógicas e descrevemos um relato de experiência com o uso de um jogo digital com foco em história do Egito Antigo e a interação de educandos do Ensino Médio do Brasil. O jogo escolhido foi o Assasin´s Creed – Origins, utilizando a DLC *Discovery Tour*. Assim serão apresentadas as características gerais do modo *Discovery Tour*, bem como uma proposta metodológica para a interação com o jogo. Apresentamos no texto também, reflexões decorrente das observações feitas no momento da interação dos adolescentes com o jogo, bem como os resultados dos questionários aplicado junto aos estudantes depois da interação, acerca da satisfação do uso de jogos digitais em sala de aula e percepção de aquisição de conhecimento.

Palavras-chave

jogos digitais, educação, história, Assasin´s Creed – Origins, aprendizagem, Brasil.

1. Introdução

O conjunto de reflexões que serão apresentadas neste texto, foram obtidas a partir da realização de uma proposta de interação em sala de aula com o jogo digital Assassin´s Creed Origins direcionado para o Ensino de História. Nesse sentido, entre os elementos iniciais que foram definidores da escolha do jogo a ser utilizado, foi que o mesmo dialogasse com turmas do Primeiro Ano do Ensino Médio tanto do ponto de vista etário, como também com a conteúdo didático previsto na proposta curricular para as turmas que participaram da interação proposta.

O espaço em que se desenvolveu a interação proposta no trabalho, foi uma escola da rede particular da cidade do Salvador, no Estado da Bahia, Brasil. Apesar de poder estabelecer um contexto de intertextualidade com diferentes disciplinas didáticas, a exemplo de artes, a proposta foi elaborada para o estudo e realização nas aulas de História, com o foco específico em fazer uma aproximação do que é apresentado no jogo Assasin´s Creed – Origins, no seu modo *Discovery Tour*, com o conteúdo de Egito Antigo, desenvolvido cotidianamente nas aulas com as turmas do Primeiro Ano do Ensino Médio.

Ao apresentar os passos projetados para a proposta, os elementos observados ao longo da realização desta e um breve comentário sobre as produções desenvolvidas pelos educandos a partir da interação destes com o jogo, o trabalho busca contribuir para desconstruir a ideia de que para estabelecer uma interação com jogos no contexto da sala de aula estes devem ser especificamente produzidos e voltados para o contexto educacional. Propondo a interação com um volume da conhecida franquia Assassin´s Creed, trouxemos para o espaço da sala de aula, um artefato cultural que está presente no cotidiano dos educandos. Para finalizarmos o texto, apresentamos uma breve discussão sobre os aspectos percebidos no estudo, não com o objetivo de esgotar os debates, mas com o intuito de refletirmos sobre as diferentes possibilidades e potencialidades da interação na escola com jogos digitais comerciais, ou seja, aqueles que não tem um propósito educacional desde a concepção.

2. Educação e Jogos Digitais

Nos últimos anos observamos um *boom* dos jogos digitais no mundo contemporâneo, desde do surgimento do Pong (1972), até o lançamento do jogo Assassin´s Creed Origins (2017) objeto de interação apresentado no texto, o ato de jogar tornou-se uma ação cotidiana para dezenas de milhares de pessoas no mundo. Esses números são crescentes também no Brasil, como mostrou uma pesquisa de amostragem apresentada pelo Datafolha, na última edição da Brasil Game Show (BGS) ocorrida no ano de 2018, cerca de 44% das pessoas participantes do evento afirmam jogar diariamente, outro dado que chama a atenção é que quase 25% delas jogam em todas as plataformas existentes e, mais de 50%, afirmaram jogar no modo mobile.

Ao analisarmos a pesquisa, é difícil não estabelecer uma relação dos números apresentados, com o crescente número de jogos desenvolvidos nos últimos anos, do aprimoramento das tecnologias digitais e da capacidade de processamento dos chips e microchips presentes nos computadores, consoles e dispositivos móveis, pois como essas modificações temos um conjunto de jogos digitais que exploram esse dinamismo tecnológico, temos jogos cada vez mais atraentes do ponto de vista estético e complexos no sentido da narrativa, independente da plataforma em que ele seja apresentado.

Hoje é muito comum vermos pessoas a caminho do seu trabalho, de casa, da escola no metrô ou em qualquer outro meio de condução pública interagindo com jogos utilizando principalmente os seus celulares. Assim, não é estranho que o mesmo cenário se desenvolva no contexto da escola com os educandos e seus celulares (Mahl, 2019).

Uma das discussões contemporâneas nas escolas, sejam elas públicas ou privadas, está diretamente relacionada ao uso do celular enquanto objeto que potencializa o aprendizado ou ferramenta que atrapalha o bom andamento do cotidiano escolar. Para refletir, de forma mais assertiva sobre esta questão é bom destacar que nos espaços escolares hoje, temos uma geração que tem uma relação totalmente diferenciada com os diferentes aparatos tecnológicos, denominada por Prensky (2007) de Nativos Digitais, por Alves (2007) como geração X e por Carlos Feixa (2000) como geração @, os jovens que se apresentam como educandos nos ambientes escolares, já nasceram sob o signo da tecnologia digital, com seus *smatphones* e *tablets*, com acesso a suas redes 3G e 4G, vivenciando uma lógica do compartilhamento, da conectividade e da colaboração constante. Criando, recriando e postando na mesma velocidade das redes que têm acesso, vivenciam uma realidade de dinamismo digital e de quebra de espaço físico.

As questões e análises anteriores foram apresentadas com o intuito de problematizar acerca da estrutura de escola que ainda dispomos na atualidade e dos recursos que estas utilizam na sua experiência diária. Na maioria das vezes, com suas cadeiras enfileiradas umas atrás das outras, com o conteúdo voltado para provas, exames e tendo com uma das suas principais formas didáticas as aulas expositivas, o ambiente escolar torna-se não somente um ambiente desagradável, mas principalmente fora do contexto da vida cotidiana desse educando do século XXI, que diante deste contexto acham a escola enfadonha, sem graça, desinteressante.

Justamente neste panorama de contestação da escola, ou melhor dizendo das didáticas utilizadas no cotidiano escolar, que a relação games e educação se apresenta de forma mais efetiva, da década de 90, para esse primeiro quartel do século XX. Um conjunto de pesquisas, buscou analisar as possibilidades e potencialidades da interação com os jogos digitais e o retorno desta interação no cotidiano dos educandos. Autores como Gee (2016), Alves (2019), Prensky (2007), apresentam nas suas pesquisas, ideias acerca dos ganhos no cognitivo, que vão desde o desenvolvimento do raciocínio complexo, planejamento, tomada de decisão, até a transposição das habilidades desenvolvidas nos games para o cotidiano.

Entretanto, deve-se se destacar, que a interação com os artefatos e dispositivos tecnológicos digitais contemporâneos e, aí, incluímos os jogos digitais, no nosso ponto de vista, estabelece um diálogo com a realidade de mundo deste educando, fazendo com que este perceba a instituição escola, como uma local onde ele pode se comunicar da mesma forma que no seu cotidiano, pois esta deve se apresentar como um espaço de aprendizagem que se estabeleça a partir das dimensões humana, pedagógica e tecnológica (Severo, Zaduski, 2018).

Dito isto, a utilização de jogos em sala de aula não é uma novidade e nem mesmo a interação entre os jogos digitais e o ensino de história. Neste texto focaremos em duas experiências anteriores com a própria franquia Assassin´s Creed. Gilbert (2019) investigou o uso deste jogo no contexto de sala de aula, observando que os educandos tendiam a dar oportunidades de engajamento crítico com esse sentido visceral de experiência imersiva. Como tal, as implicações são levantadas em relação a formas de promover a investigação crítica em experiências de jogo, bem como a importância de promover um senso de conexão humana com a história através da educação social.

Em outra intervenção em sala de aula com a utilização do Assassin´s Creed realizada pelos investigadores Vicente e Platas (2019), os pesquisadores utilizaram o título Origins voltado para a aprendizagem do Egito Antigo, colocando o educando também como protagonistas da construção de suas aprendizagens, através da proposta de sala de aula invertida, observando com um olhar crítico os fatos retratados nos jogos e construindo outros conteúdos para serem socializados em sala de aula.

Tendo esse contexto em vista, o objetivo desta investigação, através da interação com o jogo Assassin´s Creed - Origins, é de mediar e discutir conteúdos relacionados com a História do Egito Antigo em sala de aula, buscando estabelecer um diálogo com uma linguagem presente no cotidiano dos educandos, tornando a aula mais dinâmica e prazerosa. Com isso também esperamos verificar se através de metodologias ativas há uma promoção do educando na construção do seu conhecimento e potencial para trabalhos cooperativos. Contudo, será necessário coletar informações e perspectivas dos educandos acerca da importância da utilização das tecnologias digitais e da interação com os jogos digitais no espaço escolar.

3. Apresentando a proposta de trabalho

Analisado um pouco do contexto contemporâneo dos jovens e retomando alguns elementos da relação games e educação, nos debruçamos a apresentar agora o nosso relato de uma proposta de interação com o jogo Assassin´s Creed Origins, no seu modo *Discovery Tour,* para turmas de Ensino Médio no contexto educacional brasileiro. Para isso apresentaremos o modo de jogo escolhido e suas principais características, para posteriormente discorrer sobre a estrutura da proposta de interação, nesse processo serão realizadas algumas inferências sobre o momento da execução da proposta, sobre a impressão apresentada pelos educandos ao realizar a atividade e que foram coletadas através de um questionário respondido ao final da interação.

O jogo Assassin´s Creed é uma franquia desenvolvida pela Ubisoft, sendo o primeiro título lançado ainda no ano de 2007, a partir deste volume que teve uma excelente aceitação para o PS3, novos títulos foram lançados até a sua última versão Assassin´s Creed Odyssey lançado no ano de 2018. Como já apresentado no título, o título utilizado para este estudo foi o Assassin´s Creed Origins.

Desenvolvido pela Ubisoft Montreal e distribuído pela Ubisoft, o jogo é ambientado no Egito Antigo, durante o período ptolomaico, que no seu correlato histórico se situa no período do Novo Império, quando o Egito já se vê às voltas com as incursões romanas. Assim, as figuras de Ptolomeu e Cleópatra são personagens presentes no jogo, assim como a ação romana através de Júlio César. O personagem principal é Bayek, um medjai que se vê na obrigação de proteger a população e a esposa das possíveis ameaças estabelecidas a partir dos acontecimentos do período. Ao mesmo tempo que luta para proteger o povo e sua esposa, Bayek entrará em contato com as diferentes forças que movem o enredo principal da série, que é a luta entre os Assassinos e os Templários.

Numa história que gira no entorno da jornada de Bayek pelo Egito Antigo, o jogador deverá percorrer o cenário inspirado neste momento histórico e cumprir as missões propostas para o seu personagem.

Após o seu lançamento, no ano de 2017, o impacto da riqueza de detalhes e seu apuro, fizeram com que o jogo fosse indicado para vários prêmios e várias solicitações foram feitas à desenvolvedora para um modo que pudesse explorar essa riqueza de detalhes por professores nas aulas. Atendendo a essa demanda, os desenvolvedores lançaram no mês de fevereiro de 2018, o modo *Discovery Tour,* uma DLC gratuita que tinha como objetivo possibilitar uma nova forma de exploração do jogo, como num museu, temos cinco eixos básicos divididos em cotidiano, Egito, pirâmides, romanos e Alexandria. Em cada um deles, um conjunto de informações que vão desde a divisão histórica do Egito, informações sobre a escrita hieroglífica, sobre a religiosidade egípcia, costumes do cotidiano, práticas como a mumificação, o Egito romano, Cleópatra e outros caminhos de exploração, que totalizam 75 formas diferentes de acesso aos conteúdos históricos sobre o Egito Antigo.

A exploração feita pelo jogador é livre, não é obrigatório cumprir um caminho, seguir uma lógica específica que possibilite a liberação dos diferentes roteiros, todos estão acessíveis, assim o jogador pode escolher principalmente de acordo com os seus interesses, se vai fazer todos os roteiros, ou se fará especificamente aqueles que mais lhe atraem do ponto de vista cultural, cada roteiro tem um tempo diferenciado, que pode variar de 5 a 25 minutos.

3.1. Organizando o trabalho

Nesta seção apresentamos como foi organizado e dividido o trabalho, nos seus diferentes momentos, o objetivo é estabelecer um parâmetro de como foi a caminhada de execução, desde a sua concepção, até a sua conclusão com a apresentação dos conteúdos informativos elaborados pelos educandos. Ao todo a proposta era para ser executada num espaço que 4 tempos pedagógicos (4 h/a) de 45 minutos, com a possibilidade de ampliarmos para mais 1 tempo pedagógico, entretanto no final ampliamos o tempo de execução para 6 tempos pedagógicos, que veremos a seguir.

1º Etapa- Estudos Introdutórios

Neste primeiro momento, buscamos, estabelecer um estudo inicial com os educandos sobre a civilização egípcia e suas características através de encontros em sala de aula (2 aulas de 45 minutos), para isso, foram feitas explanações através de aulas expositivas, com suporte na leitura textual do livro didático, para embasar e melhorar a dinâmica em sala foram exibidos vídeos do youtube que apresentaram diferentes aspectos geográficos, sociais, culturais, econômicos, mitológicos (religiosos) e outros da civilização egípcia, com o intuito de estabelecer um ponto de partida, e perceber também quais conhecimentos prévios, os educandos touxeram sobre o conteúdo que seria tratado na interação.

No final do segundo encontro de 45 minutos, foi apresentada a proposta de interação com o jogo Assassin´s Creed Origins para continuarmos os estudos sobre o Egito Antigo, esse momento consistiu em discussão inicial da proposta com os educandos, também foi o momento de ouvir as possíveis sugestões destes. Já nesta fase, observamos que alguns educandos tinham tido acesso ao jogo e percebemos o panorama de excitação por parte de alguns pela possibilidade de interagir com o jogo digital no espaço escolar. No próximo item, estão relacionados os itens da execução da atividade.

2º Etapa- Execução da Atividade com o jogo AC - Origins

Finalizados os dois primeiros encontros relacionados com a discussão inicial do conteúdo e apresentação da proposta de interação com o Assassin´s Creed Origins, partimos para a execução da atividade em sim, seguindo os seguintes passos:

- 1º passo – Apresentar o jogo aos educandos falando um pouco sobre a série e coletando informações e o nível de contato e conhecimento com os jogos da série. (10´ min)

- 2º passo – Apresentar a proposta de trabalho no modo *discovery tour* do jogo, discutindo as possibilidades e fazendo uma visita geral guiada para apresentar o modo e suas características. (10´) – Para isso foi utilizado o Passeio: As grandes Regiões do Egito (4´).

Aqui cabe um esclarecimento com relação ao tempo, pois a previsão feita foi de dois tempos de aula de 45 minutos, perfazendo 90 minutos totais, foram negociados com outros educadores que tinham aulas no mesmo dia, para que as aulas de interação fossem juntas. Com isso, entre a apresentação da proposta e a interação dos educandos, foram utilizados dois tempos de aula seguidos, tempo que seria suficiente para que todas as equipes pudessem percorrer a sua rota no *Discovery Tour*, para depois iniciarem a construção do seu conteúdo informativo. Assim cumpridos os dois primeiros passos, avançamos para o passo seguinte da 2ª etapa, como segue a descrição.

- 3º passo – Procedimentos para realização da atividade.

- 3.1 – Os educandos foram divididos em grupos de no máximo 5 pessoas, divisão feita pelos próprios educandos, mas mediada pelo professor, que incentivou a formação de um grupo com diferentes habilidades.

- 3.2 – Após a formação dos grupos, os educandos escolheram entre uma das rotas de trabalho que são disponibilizadas nos diferentes passeios virtuais promovidos pelo modo *Discovery Tour*, para isso indicamos algumas que fazia o facejamento com o conteúdos discutidos nos esncontros iniciais, entre as quais destacamos:

  - o Fonte de Vida, O rio Nilo; (9´)

  - o Redescobrindo o Egito; (7´)

  - o Hieróglifos do Egito Antigo; (7`)

  - o Segredos da Grande Pirâmide; (9´)

  - o Teorias de Jean Pierre Houdin; (7`)

- ○ As Múmias do Egito Antigo; (9´)
- ○ Templos e Rituais do Egito Antigo. (8´)

- 3.3 – Com a escolha feita os educandos interagiram por grupo com o seu *tour*, sendo também acompanhados pelos outros educandos, que assistindo emitiam as suas opiniões e entravam em contato com os materiais disponibilizados e já estudados. (cada passeio em média durou 10 minutos).

- 3.4 – Após as realizações dos *tours,* os educandos deveriam construir um conteúdo informativo sobre a temática escolhida pelo grupo, para isso eles utilizariam os elementos coletados na interação com o jogo, em contraponto com o que foi estudado anteriormente nas aulas para aquisição e detecção de conhecimentos prévios. (para isso os grupos dispunham do tempo de 25´)

- 3.5 – O conteúdo informativo deveria ser elaborado de maneira colaborativa entre os membros da equipe, e foi iniciado no espaço de sala de aula, logo após a interação, mas com a possibilidade de conclusão posterior, com a apresentação do resultado na aula seguinte.

- 3.6 – Este conteúdo informativo devia ser elaborado no formato escolhido pelo educando entre os apresentados a seguir:
  - ○ vídeo comentário;
  - ○ resenha escrita no formato online;
  - ○ infográfico digital;
  - ○ paródia musical;
  - ○ elaboração de um Kahoot sobre a sua temática.
  - ○ OBS: Os educandos estavam livres para apresentarem um novo formato para o conteúdo informativo.

Levando em consideração a cultura da participação e da convergência levantado por Jenkins (2015), há uma demanda de produção de conteúdos produzidos pelos fãs para os fãs, o que é denominado de prosumers no universo emergente da comunicação e informação. Através das metodologias ativas em sala de aula, surgem também estes produtores de conteúdo que compartilham e criam colaborativamente novos materiais para seus pares.

Assim como na proposta de Vicente e Platas (2019) em que investe no flipped classroom, ou seja, uma sala de aula invertida, esta investigação também coloca o educando como protagonista para a construção de novos conteúdos, de forma livre, para adaptar as suas competências, criando uma valorização da atividade de ensinar e sentir-se útil para os outros. Essas estratégias são tidas como ativas porque os educandos deixam de ser passivos para recepção de informações/conteúdos e passam também a serem um emissor/produtor (Ho, 2019).

- 4º passo – Nos 10 minutos finais da atividade os educandos tiveram acesso a um questionário estruturado em formato digital, com um conjunto de perguntas relacionadas a percepção destes sobre a atividade.

- 5º passo – No encontro de aula seguinte, foram apresentados os conteúdos informativos desenvolvidos pelas equipes, neste momento também discutimos sobre as percepções dos educandos acerca da atividade, agora num momento de fala.

3º Etapa- Processo Avaliativo

A avaliação da atividade foi pensada a partir de dois eixos, o primeiro deles relacionado com os aspectos pedagógicos da proposta, destacando-se neste contexto:

- A observação das ações e as trocas realizadas pelos educandos durante o processo de interação com o jogo e elaboração do conteúdo informativo.
- Através da apresentação dos conteúdos informativos, onde será observado de que forma eles valorizaram a relação entre o disponibilizado na interação com o jogo e os estudos anteriores feitos em sala de aula.

A outra linha de avaliação, diz respeito às respostas apresentadas ao questionário estruturado, e, teve por objetivo, levantar dados para compreender de que forma os educandos compreendem o processo de interação com os jogos digitais no ambiente escolar e como eles perceberam a interação com o jogo Assassin´s Creed Origins. Esses dois momentos serão apresentados na seção seguinte.

4. Resultados e Discussões

Observando o trabalho de Rocha, Bittencour e Isotani (2015), criamos um instrumento de satisfação dos educandos com relação à aprendizagem no jogo, as reações dos usuários quanto a simulação, reação do usuário ao jogo, e a progressão de aprendizagem. Elaboramos bem menos questões do que Rocha, Bittencour e Isotani (2015), principalmente por conta do tempo das sessões, priorizando mais a interação com o jogo. Mantivemos ainda as questões com escala Likert de 10 pontos, uma vez que os educandos

Brasileiros estão mais acostumados com uma escala desta magnitude, mas todas as questões foram reforçadas com legenda de "pouco" ou "muito" para medir a satisfação com relação aos tópicos já abordados. Mantivemos o sigilo dos dados e informamos no questionário a finalidade do estudo, e que ao responder eles concordavam com os termos apresentados.

A média de Idade dos educandos era de 16 anos e a turma bem dividida entre homens e mulheres, lembrando que a escola em que houve a interação é particular, fizemos uma pergunta para saber quais eram as plataformas digitais que estes educandos mais utilizam para jogar. Observamos que a maioria dos educandos utilizam os smartphones e também a metade diz jogar em computadores ou consoles.

Eu possuo, para jogar:
63 responses

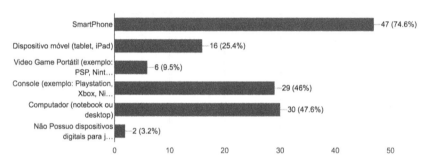

Figura 1: Respostas sobre as plataformas que os educandos jogam.

Essa familiaridade com as tecnologias digitais nos mostra o quanto os jovens têm jogado e a variedade de dispositivos em que eles acessam. Isto também facilita a inserção de aulas com as tecnologias de informação e comunicação. No geral as respostas demonstraram um comportamento muito similar como no caso da Figura 2.

Eu acredito que este jogo contribuiu para reforçar meu conhecimento sobre história do antigo Egito

63 responses

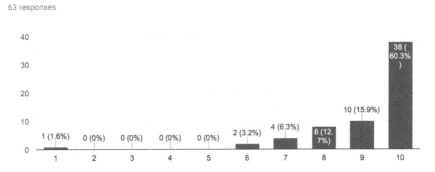

Figura 2: Resultados da questão sobre reforço de conhecimento.

A maior parte dos educandos acreditam que através do jogo ele puderam reforçar o conhecimento sobre a história do egito antigo. As demais perguntas que mostraram um comportamento similar foram:

- O jogo proporcionou experimentar a realidade do Egito antigo através do personagem?
- As diversas formas de feedback no jogo (áudios, textos, imagens e animações) são relevantes e contribuíram para o meu aprendizado?
- O ambiente do jogo representa satisfatoriamente a realidade do ambiente real?
- O jogo me motivou a procurar mais sobre a história do antigo Egito
- O jogo reforça o conteúdo aprendido em sala de aula, assim posso utilizá-lo para fixar o conteúdo
- A variação da forma, conteúdo e atividades ajudou- me a manter a atenção e motivação no jogo
- Foi fácil entender como manipular o personagem do jogo e prosseguir no modo turismo
- Eu jogaria mais o modo turismo para experimentar outros cenários
- Eu gostei de ter oportunidade de jogar em sala de aula
- Eu gostaria que houvesse outros momentos de jogar em sala de aula

Esse comportamento de entusiasmo fica dividido quando os educandos são defrontados quando se pergunta sobre o modo clássico de jogo e o modo turismo. Muitos ainda preferem o modo em que o jogador tem mais atividades a se fazer do somente explorar o cenário. Na década de 90, Richard

Bartle (1996) escreve um trabalho intitulado "Hearts, clubs, diamonds, spades: players who suit MUDs" em que descreve o comportamento dos jogadores em quatro categorias: socializadores, colecionadores, exploradores e predadores. Talvez isso explica o porquê da divisão de opiniões dos educandos.

Eu gostei mais do modo turismo do que o modo clássico de jogo
62 responses

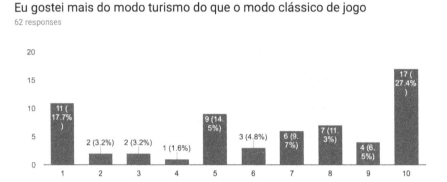

Figura 3: Respostas da questão sobre os modos de jogos.

Antes da intervenção em sala de aula, inicio da 2ª etapa, o professor investigador informa sobre toda a investigação, lembra aos alunos da confiabilidade e sigilo de dados, sobre as atividades a serem realizadas como mostra a Figura 4.

Figura 4: Professor iniciando as atividades em sala de aula.

No processo de conclusão da proposta, tivemos a 3ª etapa da investigação, quando os educandos apresentaram um conteúdo informativo no formato digital ou analógico destacando o que foi apreendido sobre o Egito Antigo a partir da interação com o jogo, buscando neste conteúdo retomar os elementos do jogo e relacioná-los com o conteúdo discutido na sala de aula e nos livros didáticos.

Como apresentado na proposta, foram dadas diferentes opções para a produção do conteúdo, entre as quais um vídeo, um quiz no Kahoot, uma apresentação em formato de slides, um infográfico, entre outros, ficando os grupos livres para a escolha do formato que mais se adequaria a sua proposta e cuja a sua aproximação pudesse potencializar a execução da atividade.

Devemos apresentar duas questões inerentes a esse momento: no início, a proposta era que se pudesse concluir a atividade de confecção do conteúdo informativo no momento de interação, nos dois tempos de aula previstos, mas como já esperávamos, o tempo pedagógico continuou sendo um fator limitante para essa conclusão, visto que ao interagir, algumas equipes tiveram pequenas dificuldades técnicas no processo de navegabilidade no jogo, por este motivo, os conteúdos foram finalizados pelas equipes durante o decorrer da semana e apresentados na aula seguinte.

No encontro da semana seguinte ao primeiro momento da atividade, iniciamos os processo de apresentação das interações, e logo vimos que um outro impasse da proposta deveria ser resolvido, como trabalhamos com um número significativo de equipes, o tempo pedagógico de 45 minutos (1h/A), se mostrou insuficiente para a apresentação de todas as produções, visto que além de falar sobre as suas propostas, os educandos deveriam apresentá-las e posteriormente ocorreria a interação de todos na sala com os produtos. Um ponto importante a ser observado, é que somente 1 equipe optou por fazer uma apresentação de análise através de textos no formato digital, a maior parte das equipes optou por realizar kahoot sobre os conteúdos de Egito.

Instados a falar sobre a experiência de produzir o conteúdo sobre o Egito Antigo, os grupos foram categóricos em afirmar que utilizaram como base inicial para pensar o conteúdo os registros realizados durante o encontro de interação, que essencialmente foram filmagem do momento da interação da equipe produtora do conteúdo e também de outras equipes que interagiam com o jogo. Além destes dois formatos, algumas equipes relataram retomar os cenários do jogo e o conteúdo deste através de vídeos de *gameplay* assistidos no *Youtube*.

As equipes tiveram no momento da apresentação um tempo corrente de 10 minutos cada uma para socializar a sua proposta de conteúdo informativo, onde a mesma descrevia seu conteúdo escolhido, o tipo de produção entre as apresentadas que foi construído o conteúdo e por fim fazíamos a interação com o conteúdo informativo produzido.

Durante a apresentação os educandos além de permitirem o acesso a sua produção, também falavam sobre o que utilizaram como base, para finalizar as apresentações buscava-se analisar o conteúdo proposto num ambiente de emissão de opiniões pelos outros educandos.

A maior parte dos grupos de educandos elaboraram uma proposta relacionada com o Kahoot, uma plataforma que permite a produção de um quiz, estruturado como uma espécie de jogo, com um conjunto de regras, determinação de pontuação, tempo para resposta e a possibilidade da anexação de imagens e textos, tal situação nos que tenciona a dizer que os educandos buscaram para a elaboração um espaço virtual, que os remetesse à lógica do jogo. Em suma, eles buscaram trazer para o ambiente escolar também os jogos digitais.

5. Considerações Finais

Os jogos digitais têm ganhado espaços em contextos formais de ensino, principalmente pela a aceitação e o diálogo com os jovens que hoje são nativos digitais. Observamos neste trabalho a satisfação dos educandos em utilizar o console em sala de aula para iniciar discussões sobre a história do Egito Antigo. Além disso a maioria dos educandos relatam poder ter uma experiência virtual daquele período, reforçando e instigando a procurar mais sobre conteúdos em outras plataformas.

A familiaridade dos educandos com as Tecnologias Digitais facilitou na maior parte do tempo a dinâmica de uso de jogos na aula de história, ainda assim algumas dificuldades de interação foram registradas, mas apesar de algumas dificuldades, lembramos que muitos sinalizaram ter gostado dessa experiência e que gostariam de outros momentos como esse, inclusive em outras disciplinas. Apesar de toda a ação não ter ocorrido em um único dia, os espaços entre as aulas fizeram com que os educandos observassem as anotações de outros colegas, buscassem mais sobre o jogo na web e até jogassem em casa, ajudando a enriquecer a experiência tanto no contexto da interação, como na produção dos conteúdos informativos propostos.

O modo turismo do jogo não foi tão atraente para os educandos, mas a maioria dos educandos ficaram curiosos em visitar outros cenários para além da interação que tiveram em sala de aula. Mas, nas apresentações, os educandos puderam utilizar-se de outras tecnologias para divulgar o conteúdo aprendido, socializar com outros colegas de classe, de forma lúdica e dinâmica através da plataforma Kahoot, por exemplo.

Esta investigação tem suas limitações, principalmente em relação ao tempo de intervenção e ao público, mas pôde se observar que os jovens se sentem mais confiantes quando lançam mão de tecnologias que estão acostumados a utilizar e que possibilitam também que ele seja um elemento ativo em sala de aula, potencializando a sua criatividade e o trabalho cooperativo com as tecnologias digitais. Temos em vista como trabalhos futuros, a aplicação desta metodologia em outros cenários, como escolas da rede pública e/ou em outros países.

Referências

ALVES, Lynn., 2007. Geração Digital Native, cursos on-line e planejamento: um mosaico de ideias. In: Desenvolvimento Sustentável e Tecnologias da Informação e Comunicação. 1ed. Salvador : Edufba, 2007, v.1, p. 145-160.

Alves, L. R. G. (2019). Digital Games: Learning Spaces for Executive Functions Stimulation. In K. Aliane Loureiro, A. Érico Marcelo Hoff do, N. Felipe Becker, V. Gleizer Bierhalz, & Z. Manuel Constantino (Eds.), Handbook of Research on Immersive Digital Games in Educational Environments (pp. 89-111). Hershey, PA, USA: IGI Global.

Bartle, R. (1996). Hearts, clubs, diamonds, spades: Players who suit MUDs.

Feixa, Carlos. (2000) Generación @: la juventud en la era digital. Nómadas, Colômbia, n. 13, p 75-91, 2000.

Gee, J. (2016). Video Games, Design, and Aesthetic Experience. Rivista di estetica, (63), 149-160. doi:10.4000/estetica.1312

Gilbert, L. (2019). "Assassin's Creed reminds us that history is human experience": Students' senses of empathy while playing a narrative video game. Theory & Research in Social Education, 47(1), 108-137. doi:10.1080/00933104.2018.1560713

Ho, J. (2019). Gamifying the flipped classroom: how to motivate Chinese ESL learners? Innovation in Language Learning and Teaching, 1-15. doi:10.1080/17501229.2019.1614185

Mahl, M. A. V. D. (2019). O uso do smartphone em sala de aula como recurso pedagógico. (Especialização Artigo), Universidade Federal de Santa Catarina, Três Passos.

Prensky, M. (2007). Aprendizagem Baseada Em Jogos Digitais: SENAC SP.

Rocha, R. V. d., Bittencourt, I. I., & Isotani, S. (2015). Avaliação de Jogos Sérios: questionário para autoavaliação e avaliação da reação do aprendiz. Paper presented at the SBGAMES, Teresina.

Severo, E. L. S., & Zaduski, J. C. D. (2018). Games E Educação: Considerações Sobre Assassin's Creed E O Ensino De História. Colloquium Humanarum. ISSN: 1809-8207, 15(2).

Vicent, N., & Platas, M. (2019). Let's play in Ancient Egypt! Flipped classroom through the video game Assassin's Creed: Origins. CLIO. History and History teaching.

CAPÍTULO VII

PROPUESTA EDUCATIVA BASADA EN LA SEGMENTACIÓN DE COMPORTAMIENTOS (BEHAVIORAL TARGET) APLICADA A LAS EASD

Dra. María Luisa Notario Rocha

Centro Universitario San Isidoro (adscrito a la Universidad Pablo de Olavide)
Sevilla, España

Resumen

La adopción de metodologías innovadoras y debates sobre modelos de aprendizajes basados en las TIC domina el discurso académico y científico de las ciencias educativas. La revolución digital no sólo ha transformado el escenario comunicativo y a los agentes implicados sino que ha inundado espacios colaterales como el ámbito educativo o la docencia provocando una evolución radical. Si el método científico es lo que proporciona unidad a una disciplina académica y por ende, a toda la ciencia (Pearson, 1892), garantizando la fiabilidad en el conocimiento de la realidad en un proceso investigador; este elemento metodológico cobra un papel imprescindible en el ámbito de la enseñanza, ya que de su aplicación depende el desarrollo y eficacia de buena parte del rendimiento educativo (Anduiza, Crespo y Méndez, 2009). Propuestas como las Gamificación, la Flipped Classrom, el Design Thinking, el Aprendizaje basado en proyectos (ABP) junto a metodologías más innovadoras, constituyen algunos de los planteamientos más adoptados en el proceso de aprendizaje por los agentes promotores de este proceso, los docentes. Esta comunicación tiene como objetivo: analizar la adopción de diferentes metodologías basadas en la adquisición competencial en un centro educativo y a partir de ahí proponer una práctica educativa a partir de la segmentación del aula a partir de conductas diarias vinculadas a las redes sociales, con la finalidad de ofrecer recursos que distinguen al alumnado no en función de variables demográficas (sexo, edad, región, etc.) sino en función de sus rutinas comunicacionales.

Palabras clave

Metodologías Educativas, Enseñanzas Artísticas Superiores, Diseño, Segmentación Comportamiento, Aprendizaje Competencial, Moda, Vestuario.

1. Justificación de la propuesta educativa

El marco legislativo que regula el sistema educativo español, marcado por las orientaciones europeas (Consejo Europeo de Lisboa, 2000) se dirige fundamentalmente a la adquisición competencial como clave para el pleno desarrollo personal, social y profesional del individuo que "se ajuste a las demandas del mundo globalizado y haga posible el desarrollo económico vinculado al conocimiento" (BOE, A-2015-738).

Un planteamiento que ha obligado no sólo a la inclusión de las competencias en el currículo de los diferentes niveles educativos sino también a la evaluación de las mismas. Y que tiene sus antecedentes en algunas de las propuestas del Programa PISA (para la Evaluación Internacional para Estudiantes, 1997) el cual evaluaba el éxito del estudiante en la vida a partir de una rango amplio de competencias. Y que propició posteriormente el proyecto de Definición y Selección de Competencias de la OCDE (http://www.oecd.org/education/) que define en el 2003, el término competencia como "la capacidad de responder a demandas complejas y llevar a cabo tareas diversas de forma adecuada".

La competencia por tanto "supone una combinación de habilidades prácticas, conocimientos, motivación, valores éticos, actitudes, emociones, y otros componentes sociales y de comportamiento que se movilizan conjuntamente para lograr una acción eficaz". Se trata, en consecuencia de un conocimiento que en la práctica, se adquiere a través de la participación activa en la sociedad, y que se puede desarrollar en contextos educativos formales e informales, propiciando la posibilidad de adoptar nuevas metodologías para el aprendizaje de las mismas.

Las recomendaciones europeas (RC 2006/962/EC), en este contexto, instan al legislador nacional a ofertar competencias clave, identificando ocho esenciales para el bienestar de las sociedades europeas, el crecimiento y la innovación que son las siguientes: comunicación lingüística, competencia matemática y competencias básicas en ciencia y tecnología, competencia digital, aprender a aprender, competencias sociales y cívicas y por último conciencia y expresiones culturales.

El aprendizaje competencial favorece por tanto, los propios procesos de aprendizaje y motivación, por el modo en que se interrelacionan sus componentes: conocimiento o conceptos, reflejados en "saber decir"; las destrezas, reflejadas en "saber hacer" y las actitudes en "saber ser".

Por otra parte, la adopción de nuevas metodologías por parte del docente se ha convertido en una de las grandes exigencias marcadas por los cambios experimentados en el sistema educativo. Explorar e indagar en ámbitos que conectan con la educación está siendo prioritario en la innovación pedagógica. La neurociencia, el pensamiento creativo, las competencias emocionales (Núñez Cubero, 2008), la comunicación o la indagación en terrenos propios de la psicología o la sociología convergen en ocasiones con los nuevos planteamientos.

Nuevas metodologías como el Aula Invertida (*Flipped Classroom*), el Aprendizaje basado en Proyectos (ABP), el Aprendizaje Cooperativo, la Gamificación, el Aprendizaje basado en problemas, el pensamiento de diseño (*Design Thinking*), el Aprendizaje basado en el Pensamiento inundan las aulas de centros educativos de enseñanza primaria y secundaria en una incesante búsqueda por la eficacia en el aprendizaje.

Sin menoscabar ninguna de las anteriores, este estudio plantea el diseño de una propuesta metodológica que en primer lugar selecciona una muestra dentro de un nivel educativo superior pero no universitario, el de las Enseñanzas Artísticas Superiores de Diseño y que toma como punto de partida, los hábitos comportamentales del alumnado seleccionado en su rutina recalcando la relevancia comunicacional que las redes sociales tienen para el alumnado. Y proponiendo la segmentación de comportamientos como base de la metodología.

Se trata de extrapolar una tendencia afín a la comunicación (*behaviorial targeting*) y que se focaliza en las variables que tienen que ver con el comportamiento del receptor o consumidor de contenidos y que permiten al emisor conocer qué paginas visita, qué le interesa y en qué momentos; de esta forma, el diseño de estrategias comunicacionales será más directo y alineado con los intereses del receptor o consumidor.

Existe una natural tendencia a categorizar al alumnado a partir de variables demográficas como el sexo, región a la que pertenecen y por supuesto la edad que es la que marca en el aula las características pedagógicas propias de cada nivel educativo. Sin embargo esta propuesta plantea detectar en el aula otras variables relacionadas con el comportamiento digital del alumnado y que nos permitirán conocerlos mejor y captar su atención. Se trata de introducir herramientas digitales que le proporcionen experiencias positivas para facilitar su aprendizaje y que conecten directamente con sus intereses, logrando unos resultados eficaces y óptimos. El aula se convierte así en un espacio que se integra en la cotidianidad del alumnado favoreciendo su motivación.

2. Objetivos

Con el diseño y desarrollo de la propuesta eduacativa se pretendían alcanzar los siguientes objetivos:

- En primer lugar, contextualizar las enseñanzas artísticas superiores de diseño, nivel educativo en el que se iba a implementar la propuesta metodológica. en el Espacio Europeo de Educación Superior (EEES)

- En segundo lugar, identificar los factores o condiciones que ayudan a mejorar el aprendizaje competencial en diferentes niveles educacionales y aplicables a contextos educativos formales e informales.

- En tercer lugar, diseñar una metodología basada en la segmentación de comportamientos del alumnado.

- En cuarto lugar, proponer la experimentación de dicha metodología en una muestra de alumnado de un centro educativo superior no universitario de enseñanzas artísticas superiores de Diseño.

- En quinto lugar verificar la adquisición de las competencias por parte del alumnado implicado en dicha experiencia educativa y señalar recomendaciones a partir de los resultados obtenidos para mejora del aprendizaje competencial.

3. Las Enseñanzas Artísticas Superiores en el Espacio Europeo de Educación Superior

Esta propuesta metodológica se ha diseñado para el aprendizaje de una de las asignaturas de la titulación superior de Diseño en la especialidad de Diseño de Moda. Se trata de la disciplina obligatoria de la especialidad y teórica (OE/T) de "Historia de la Moda. Diseñadores y Tendencias Contemporáneas", impartida en 2º de Enseñanzas Artísticas Superiores de Diseño, (Diseño de Moda), e incluida dentro de la materia de "Historia del Diseño de Moda".

El Título Superior de Diseño se enmarca en las Enseñanzas Artísticas Superiores de Diseño, unas enseñanzas que según la norma que las regula, tienen como objetivo general "la formación cualificada de profesionales que posean una completa formación práctica, teórica y metodológica, que les capacite para integrarse en los distintos ámbitos profesionales de esta disciplina" (Decreto 111/2014 de 8 de julio, BOJA núm. 150 de 04/08/2014). Una titulación que según señala el decreto anterior en su artículo 4.2 es equivalente a todos los efectos al título universitario de Grado, según lo establecido en la disposición adicional primera del Real Decreto 1614/2009, de 26 de octubre.

Y que aspiran según la norma a titulados cuyos perfiles se correspondan con "profesionales cualificados capaces de concebir, fundamentar y documentar un proceso creativo a través del dominio de los principios teóricos y prácticos del diseño y de la metodología proyectual, capaz de integrar los diversos lenguajes, técnicas y tecnologías en la correcta materialización de mensajes, ambientes y productos significativos". (Decreto 111/2014 de 8 de julio, BOJA núm. 150 de 04/08/2014).

Se hace necesario reseñar el itinerario de las Enseñanzas Artísticas Superiores que comprenden la Danza, Música, Arte Dramático y el Diseño en España y los antecedentes legislativos y normativa de dichas enseñanzas así como su adaptación al Espacio Europeo de Educación Superior para comprender el aprendizaje de dichas titulaciones.

La evolución de las EAS en la legislación española ha venido marcada por su consideración de no universitaria. Se trata de una formación superior que a pesar de que la Ley General de Educación de 1970 (BOE 6 de agosto de 1970) quiso situar en la Universidad, nunca llegaron a integrarse en ella, siendo implementadas y gestionadas por los centros superiores como Conservatorios Superiores de Música, Escuelas de Arte Dramático, o Escuelas de Artes y Oficios. En esa época hubo autores como Castro (1969) que abogaban por una entrada en la universidad de estas enseñanzas, sin embargo, el rechazo por parte de los centros superiores a esta opción y el desinterés de las administraciones educativas facilitaron que esto nunca llegará a ejecutarse.

Esta trayectoria culmina en 1990 con la Ley de Ordenación General del Sistema Educativo (LOGSE) que establece la equivalencia de las enseñanzas artísticas superiores a licenciaturas y diplomaturas universitarias. Además esta norma, sin mencionar el Diseño sí contempla para las enseñanzas artísticas superiores de Música, Arte Dramático y Danza, la posibilidad de organizar estudios de tercer ciclo mediante convenio con las universidades (Vieites, 2016).

Y será en el 2006, cuando la Ley Orgánica de Educación (LOE) establezca la equiparación de las enseñanzas artísticas superiores incluido el Diseño al título universitario de Grado, manteniendo abierta la posibilidad de la organización de estudios de doctorado "propios de las enseñanzas artísticas reguladas" en la propia Ley, mientras en su artículo 58.6 establecía que "los centros superiores de enseñanzas artísticas fomentarán programas de investigación en el ámbito de las disciplinas que les sean propias" (p. 17177, LOE, BOE del 4 de mayo de 2006)

No será, sin embargo hasta el 2009, cuando se plantee el legislador la regulación de estas enseñanzas de cara a la entrada en el Espacio Superior Europeo (EEES) y se publique entonces el Real Decreto 1614/2009, que contempla como títulos de "Grado" en Artísticas Superiores lo que la LOE definía como "Títulos Superiores" equivalentes a grado universitario. Además se concretaba la integración de estos estudios en el EEES y otras referencias que se trasladarían a los Reales Decretos 630/2010, 631/2010, 632/2010,

633/2010, 634/2010 y 635/2010; éstos regulaban aspectos básicos del currículo de los estudios superiores de arte dramático, música, danza, diseño, vidrio y cerámica, y conservación y restauración de bienes culturales, y otras cuestiones vinculadas con el dicho EEES (Vieites, 2016).

A pesar de esta normativa, y antes de que se implantarán en Andalucía, con carácter experimental en el 2012 las enseñanzas artísticas superiores de Diseño en las especialidades de Diseño Gráfico, Diseño de Interiores, Diseño de Moda y Diseño de Productos, se publica en enero de 2012 una sentencia del Tribunal Supremo, que aceptaba en parte el recurso presentado por la Universidad de Granada que cuestionaba el hecho de que centros no universitarios ofrecieran títulos de grado y postgrado (máster) (Marzal, 2012).

La sentencia eliminaba la denominación de Grado contemplada en el RD 1614/2009 y posteriormente la Ley Orgánica 8/2013 para la Mejora de la Calidad Educativa (LOMCE) recuperaba la denominación de "título superior". Las enseñanzas artísticas superiores volvían a sus inicios, a su equivalencia a grado universitario establecida en 1990 por la LOGSE con los añadidos de LOE y de la LOMCE (Lemes, 2012).

Además la importancia del Espacio Europeo de Educación Superior en el marco de las enseñanzas artísticas no había sido objeto de grandes debates, salvo un monográfico publicado por el MECD en el 2010 que no aportaba mayores novedades al respecto.

Desde este enfoque se hace necesario para contextualizar el diseño de la propuesta metodológica señalar a grandes rasgos algunos de los elementos contemplados en la normativa reguladora, dirigida a proponer cambios administrativos, legales y cambios en la docencia, haciendo especial hincapie en aquellos que se reflejan en el diseño metodológico. Se habla para estas enseñanzas de:

- En primer lugar, de la adopción del crédito europeo definido como: "el haber académico que representa el cumplimiento de los objetivos previstos en los planes de estudios conducentes a la obtención de títulos oficiales de enseñanzas artísticas superiores se medirá en créditos europeos ECTS" (RD 1614/2009, p. 89745).

- En segundo lugar, de la implementación del aprendizaje autónomo, dado que en la asignación de horas de trabajo por asignatura se consideran tanto las lectivas como las horas de estudio, y "las dedicadas a la realización de seminarios, trabajos, prácticas y proyectos" (RD 1614/2009, p. 89745).

- En tercer lugar, de la importancia de las competencias, muy vinculadas con el saber hacer y que confieren a las asignaturas una dimensión esencialmente práctica, que exige la "aplicación de una nueva metodología de aprendizaje, y en la adecuación de los procedimientos de evaluación" (RD 630/2010, p. 48467).

- En cuarto lugar, de un nuevo modelo de docencia, pues el RD 1614/2009 habla de "un cambio estructural basado en la flexibilidad en la organización de la enseñanza y la renovación de las metodologías docentes, cuyo objetivo se centra en el proceso de aprendizaje del estudiante" (p. 89743).

- En quinto lugar, de la formación del profesorado, al decir que "las Administraciones educativas propiciarán planes de formación del profesorado, relativos al conocimiento de los principios básicos, la estructura, la organización, las nuevas metodologías y los sistemas de evaluación e investigación correspondientes al Espacio Europeo de Educación Superior". Además se señala que "las Administraciones educativas, a propuesta de los centros, fomentarán planes de formación del profesorado para la actualización y profundización de las disciplinas propias en sus diferentes ámbitos" (RD 630/2010, pp. 48471 y 48472).

- En sexto lugar se habla de las Estructuras de las enseñanzas, que van del grado al posgrado, con un máster en enseñanzas artísticas, "de carácter especializado o multidisciplinar", orientado "a la especialización académica o profesional, o bien a promover la iniciación en tareas investigadoras". Se propone un doctorado propio, en convenio con las universidades, que deberá "incluir los criterios de admisión y las condiciones para la realización y elaboración de la tesis doctoral y su adecuación a las particularidades de las enseñanzas artísticas superiores entre las que se podrá considerar la interpretación y la creación" (RD 1614/2009, p. 89747).

- En séptimo lugar se hace referencia a la relevancia de la calidad y evaluación, para "mejorar la actividad docente, investigadora y de gestión de los centros, así como fomentar la excelencia y movilidad de estudiantes y profesorado" (RD 1614/2009, p. 89751).

- En octavo lugar se habla de la autonomía de los centros, en los "ámbitos organizativo, pedagógico y de gestión" (RD 1614/2009, p. 89743). En la misma dirección, se dice que "las Administraciones educativas favorecerán la autonomía pedagógica, de organización y de gestión de la que disponen estos centros para el ejercicio de sus actividades docentes, investigadoras, interpretativas y de difusión del conocimiento, a fin de garantizar el cumplimiento de sus funciones como centros educativos superiores del Espacio Europeo de Educación Superior" (RD 630/2010, p. 48468).

- En noveno lugar, se incluyen los recursos, en tanto se dice que las administraciones educativas "dotarán a los centros de enseñanzas artística superiores de los recursos necesarios para facilitar su funcionamiento, desarrollar sus objetivos en las áreas de la docencia, la investigación y la creación artística" (RD 1614/2009, p. 89743).

- También se menciona en décimo lugar a la Investigación, pues se establece que "los centros de enseñanzas artísticas superiores (...) fomentarán programas de investigación científica y técnica propios" de su campo disciplinar, "para contribuir a la generación y difusión del conocimiento y a la innovación en dicho ámbito". También se afirma que "las Administraciones educativas establecerán los mecanismos adecuados para que estos centros puedan realizar o dar soporte a la investigación científica y técnica, que les permita integrarse en el Sistema Español de Ciencia y Tecnología" (RD 630/2010, p. 48468).

- En undécimo lugar se habla de la Investigación y creación, por cuanto se afirma que "la consolidación de líneas de investigación y creación, la formación de creadores e investigadores son aspectos imprescindibles a fomentar y considerar por parte de las instituciones públicas y privadas". Además, se señala que "la colaboración entre centros enmarcados en el contexto de la educación superior es una necesidad de crecimiento y desarrollo conjunto en el ámbito de la docencia y de la investigación" (RD 630/2010, p. 48467).

- Por último se habla de la movilidad, al establecer que "las Administraciones educativas facilitarán el intercambio y la movilidad de los estudiantes, titulados y profesorado de las enseñanzas (...) en el Espacio Europeo de Educación Superior, dentro de los programas europeos existentes conforme su propia normativa" (RD 630/2010, p. 48471).

De los anteriores elementos, se deduce la adopción de funciones por parte de los centros, del profesorado y del alumnado de las Enseñanzas Artísticas muy similares a las universitarias y que conlleva la adaptación hacia nuevos modelos de currículos, de profesorado, de centro y alumnado, en tanto que en éste modelo el peso del trabajo autónomo conlleva un modelo diferente de organizar el aprendizaje (Vieites, 2016).

Y es partiendo de este enfoque organizativo del aprendizaje, dónde nace el diseño de una propuesta metodológica de enseñanza-aprendizaje para este alumnado focalizada en el aprendizaje competencial, pero tomando como punto de partida, la segmentación en función de las conductas o costumbres cotidianas del estudiante.

3.1. Los límites entre el diseño y en el arte en el marco de las Enseñanzas Artísticas Superiores de Diseño

Planteaba esta propuesta los delgados límites entre el diseño y el arte. Un debate que desde los inicios del diseño industrial ha sido centro de atención de investigadores y teóricos y que ha llevado a que la enseñanza del diseño tenga diferentes planificaciones dependiendo de los países.

En países como Italia o Estados Unidos, el diseño ha estado vinculado a la arquitectura, y la figura de los arquitectos han constituido el pilar fundamental para el desarrollo del diseño, al que han considerado tradicionalmente una extensión de sus competencias. Mientras que en otros países como Alemania o Japón el diseño se ha desarrollado desde el ámbito de las ingenierías. (Marín y Torrent, 2010: 26).

En España sin embargo, el profesional del diseño procede de ámbitos tan diferentes como pueden ser las Bellas Artes, la arquitectura o la ingeniería. Las enseñanzas de Diseño en España, antes de la entrada en el espacio superior europeo estaban planificadas desde diferentes campos: los estudios universitarios de diseño industrial y desarrollo de productos estaban englobados en las escuelas de ingeniería, mientras que el diseño gráfico se estudiaba en las facultadas de Bellas Artes.

El diseñador en ocasiones se consideraba un tecnólogo con conocimientos de un humanista y que aspira a una cultura integral y multidisciplinar que supere la antigua división entre los mundos de la ciencia y tecnología por un lado y las artes y humanidades por otro.

Existen por tanto, una gran cantidad de definiciones de diseño. En la actualidad, el diseño es una profesión global y ubicua, presente en cualquier parte del planeta, y su proyección y actividad se encuentra detrás de los productos y entornos presente en la vida diaria de cualquiera de las personas.

4. El aprendizaje competencial en diferentes niveles educativos

La adquisición de competencias por parte del alumnado es una de las premisas fundamentales para la gestión de los procesos de aprendizaje recogidos en la mayoría de las publicaciones de la Educación Superior y que potencian el desarrollo de la capacidad reflexiva y autónoma del estudiante (Gallego Gil y García Diego, 2012).

Si en cualquiera de las áreas y ámbitos de la Educación Superior, se hace primordial el aprendizaje competencial, en las Enseñanzas Artísticas Superiores de Diseño, con una relevante dimensión práctica basada en el "saber hacer", éste adquiere un valor aún mucho más importante, ya que toma como punto de partida el "aprender haciendo" heredado de las enseñanzas de artes y oficios.

Por tanto, la superación de cada una de las asignaturas que forman parte de los planes de estudio supone la adquisición por parte del futuro Titulado Superior de Diseño de una serie de competencias transversales y generales comunes a las cuatro especialidades: Diseño Gráfico, Diseño de Interiores, Diseño de Moda y Diseño de Productos, así como la adquisición de competencias específicas vinculadas a cada una de las especialidades anteriores, tal como se contempla en el Decreto 111/2014 de 8 de julio, BOJA núm. 150 de 04/08/2014.

Las competencias específicas vinculadas a la titulación de diseño de Moda indicadas en este decreto, tienen un marcado carácter proyectual, de ahí la importancia que tiene para el futuro profesional de diseño de moda que sea competente no sólo en la generación de propuestas creativas de diseño de moda e indumentaria adecuadas a los condicionantes materiales, funcionales, estéticos y comunicativos de los supuestos de trabajo sino que también sea competente en la concepción y materialización de proyectos de diseño de moda e indumentaria que integren aspectos formales, materiales, técnicos, funcionales, comunicativos y de realización. Todo ello a partir de criterios que supongan una mejora de la calidad de vida y medio ambiente, así como la generación de identidad, innovación y calidad en la producción.

Además el titulado superior en diseño de moda, debe además de las anteriores ser competente para: conocer las características, propiedades y comportamiento de los materiales utilizados en los distintos ámbitos del diseño de moda e indumentaria; conocer la maquinaria y procesos de fabricación, producción y manufacturado de los sectores vinculados al diseño de moda e indumentaria; interrelacionar los lenguajes formal y simbólico con la funcionalidad específica; resolver problemas estéticos, funcionales, técnicos y de realización que se planteen durante el desarrollo y ejecución del proyecto; analizar los estudios de mercado y su incidencia en el desarrollo de nuevos productos y colecciones; conocer los recursos tecnológicos de la comunicación y sus aplicaciones al diseño de moda e indumentaria; dominar la tecnología digital específica vinculada al desarrollo y ejecución de proyectos de diseño de moda e indumentaria; conocer el marco económico y organizativo en el que se desarrolla la actividad empresarial; conocer el contexto económico, social, cultural e histórico en el que se desarrolla el diseño de moda e indumentaria; comprender el marco legal y reglamentario que regula la actividad profesional, la seguridad y salud laboral y la propiedad intelectual e industrial; contribuyendo con todas estas competencias a que el alumnado reflexione acerca de la influencia social positiva del diseño.

A las anteriores competencias se añaden dos que se han distinguido de las anteriores porque son las que dan sentido a esta propuesta pedagógica y son las siguientes:

- CE.5. Adecuar la metodología y las propuestas de diseño a la evolución tecnológica e industrial propia del sector
- CE.6. Fundamentar el proceso creativo en estrategias de investigación, metodológicas y estéticas.

Tomando como punto de partida las CE.5 y CE.6, se concibió la puesta en marcha de esta propuesta metodológica. La intención principal era desarrollar una experiencia educativa que partiera de las rutinas comunicacionales del alumnado, para que por medio del uso de redes y plataformas integradas en su conductas, introducir el aprendizaje y conocimiento de la evolución y adaptación del diseño de moda a los cambios experimentados por el sector así como facilitar la fundamentación de los diferentes procesos creativos desarrollados por el alumnado.

5. Diseño de la metodología basada en la segmentación de comportamientos y propuesta práctica de la experimentación.

El planteamiento inicial para el diseño de esta metodología experimental fue en primer lugar por medio de la técnica de los grupos de discusión o *focus group*, identificar las actitudes, motivaciones y rutinas de los estudiantes matriculados en la asignatura. Por definición un grupo de discusión es un procedimiento de investigación informal que permite obtener información cualitativa y no datos puros (Wilcom, Cameron y Xifra, 2011). La adopción de esta técnica facilitó identificar las actitudes y motivaciones del estudiantado. El grupo estaba compuesto por unos 11 alumnos matriculados en la asignatura "Historia de la Moda. Diseñadores y Tendencias Contemporáneas" en el marco de las Enseñanzas Artísticas Superiores de Diseño en un centro autorizado de Enseñanzas Artísticas Superiores, de la provincia de Sevilla, con la categoría de centro privado docente dentro de la organización de la Consejería de Educación.

Los resultados arrojados concluían en el 100% del alumnado, en que entre sus rutinas diarias, se encontraba el visionado de al menos un capítulo de alguna serie televisiva o difundida en alguna plataforma *Over The Top* (OTT) como Netflix, HBO o Amazon Prime Vídeo; además, este hábito constituía una de las situaciones más motivadoras de la jornada.

Por ello, se artículo una propuesta que aunara las motivaciones del alumnado junto al desarrollo competencial vinculado a la asignatura escogida para esta metodología experimental.

Concretamente la asignatura escogida recoge los siguientes contenidos y competencias en el Decreto 111/2014 de 8 de julio:

Tabla 1. Descriptores de los contenidos, competencaias de la asignatura escogida para la experiencia metodológica.

ASIGNATURA	Historia de la Moda. Diseñadores y Tendencias contemporáneas.		
MATERIA	Historia del Diseño de Moda		
CONTENIDOS	El nacimiento de la Alta Costura. París referencia de la moda europea. Belle Époque. La 1ª G. Mundial. Moda entre guerras. La moda tras la 2.ª G. Mundial. La Moda actual. Influencia de los planteamientos estéticos contemporáneos. Los diseñadores o diseñadoras y su influencia. Tendencias actuales en los mercados nacionales y extranjeros. La relevancia actual de la moda: museos, informativos, cines, consecuencias. La banalización de la moda. Métodos de investigación y experimentación propios de la materia.		
COMPETENCIAS	TRANSVERSALES	GENERALES	ESPECÍFICAS
	2, 8, 11, 12, 14, 16, 17	5, 6, 8, 11, 12, 13	5, 6, 7, 8, 9, 13, 15

Fuente: elaboración propia a partir del Decreto 111/2014.

La propuesta se articula a partir de las siguientes acciones:

- Creación de un perfil en Instagram dedicado al análisis de vestuario de series difundidas por canales en abierto o plataformas Over The Top (OTT) como Netflix, HBO, Amazon Prime, etc. que tendría como seguidores a el alumnado matriculado en la asignatura "Historia de la Moda. Diseñadores y Tendencias contemporáneas".

- Cada semana se generarán contenidos para el perfil por parte del alumnado, en total durante 11 semanas, las correspondientes al número de estudiantes, aunque el periodo lectivo de la asignatura es de 18 semanas puesto que es una disciplina de carácter semestral. La gestión de la red se ejecutará por cada uno de los matriculados y reparto será por sorteo público en el inicio de la impartición de la asignatura.

- Cada semana el estudiante a quién corresponda la gestión y generación de contenidos para el perfil planteará la serie a analizar, tomando como premisa previa que la serie pueda ser visionada por todo los matriculados en la asignatura, es decir que si se trata de una serie difundida en una plataforma de pago, que todo los estudiantes puedan acceder con facilidad, porque estén suscritas a la misma o compartan contenidos con otros compañeros.

- Para el análisis e implementación el docente proporcionará una ficha de trabajo que describe los objetivos de la práctica, desarrollo de la misma, indicando la periodización de la misma, así como la relación de competencias transversales, generales y específicas adquiridas por el alumnado tras la superación de la actividad:

Tabla 2. Ficha de la práctica a desarrollar como base de la propuesta metodológica a implementar por el alumnado de 2º de EASD Diseño de Moda.

ENSEÑANZAS ARTÍTICAS SUPERIORES DE DISEÑO	2º EASD Diseño de Moda
ASIGNATURA	Historia de la Moda. Diseñadores y Tendencias Contemporáneas
CARÁCTER	Individual. Presencial
DESCRIPCIÓN DE LA PRÁCTICA/OBJETIVOS	El vestuario en una serie o película es una una herramienta fundamental para revelar las personalidades de los protagonistas, contar historias y comunicar detalles sutiles de forma rápida y económica. La indumentaria añade importantes connotaciones al desarrollo de una película. Este vestuario se desarrolla a partir de: - Diseñadores de moda: Colaboran en el diseño específico del vestuario de protagonistas. Casos excepcionales. - Responsables de vestuario: Son los grandes olvidados o desconocidos pero aplican de forma específica los diseños a las necesidades de la producción. - Empresa de estilismo: Dedicadas al vestuario de cine y televisión a nivel global, aprovechando circunstancias para abaratar costes.
PAUTAS INDIVIDUALES PARA EL DESARROLLO DE LA PRÁCTICA:	Visionado de la serie y elaboración ficha técnica: Productora. Año, nacionalidad, director, actores, responsable del vestuario Síntesis: Resumen breve del contenido. Identificar las personajes principales y secundarios y análizar de las funciones del vestuario en la película que pueden ser: Reconocimiento de la época y el lugar de la escena: ofrece el vestuario suficiente, riguroso y documentada información sobre la época (color histórico), o el lugar donde se desarrolla. Construcción de los personajes: Ofrece información sobre la posición social, económica, personalidad y trascendencia del personaje en la historia global narrada. Detallar: prendas, colores, accesorios, complementos. Destacar si han sido iconos en el vestuario o en la moda posterior. Identificación del protagonista y su clasificación con respecto al resto de los personajes. Evolución del personaje a lo largo de la serie: si ha sufrido una evolución a lo largo de la historia que se concreta en cambios de colores o de ropa. Toda esta información se irá concretando en el diseño y elaboración de un mínimo de 5 entradas a la semana de acuerdo a la estética de la serie escogida, en el perfil de Instagram que ayuden al resto de los compañeros a reconocer la serie y su vestuario.
VALOR PORCENTUAL DEL EJERCICIO SOBRE LA NOTA FINAL	25%

COMPETENCIAS ADQUIRIDAS	CE 5, CE 6, CE 7, CE 8, CE 9, CE 13 y CE 15
CRITERIOS DE EVALUACIÓN	Los criterios de evaluación son: Capacidad para sintetizar las ideas cuestionadas (5) Contenido investigación (3) Originalidad (2) Presentación (1)
PERIODIZACIÓN	Febrero de 2019 a junio de 2019.
OBSERVACIONES	Será de aplicación general una penalización de 1 punto por día de retraso a la nota obtenida en el ejercicio, sin menoscabo de las justificaciones previas que realice el alumno.

Fuente: elaboración propia.

La propuesta se experimentaría durante el periodo correspondiente a las 18 de semanas de impartición de la asignatura de carácter semestral.

5. La adquisición de las competencias vinculadas a la titulación Superior de Diseño

La propuesta evidencia el resultado óptimo en la aplicación de una metodología basada en el aprendizaje basado en la segmentación de comportamientos en el contexto educativo de las enseñanzas artísticas. En esta propuesta se unen arte y funcionalidad como en toda iniciativa de diseño. La motivación junto a la creatividad se convierte en el motor que empuja a los estudiantes al desarrollo de un proyecto que además de convertirse en creación artística, se desarrolla desde las inquietudes del propio estudiante.

Tabla 3 Resultados de la propuesta metdológica desarrollada en la asignatura de Historia de la Moda. Diseñadores y Tendencias contemporáneas durante el curso 2018/19,

COMPETENCIAS TRANSVERSALES, GENERALES Y ESPECÍFICAS DEL TÍTULO SUPERIOR DE DISEÑO (DECRETO 111/2014 DE 8 DE JULIO, BOJA, Nº 150, 04/08/2014)	INDICADORES EVIDENCIADOS EN LA PROPUESTA METODOLOGíCA
CT01.- Organizar y planificar el trabajo de forma eficiente y motivadora. CT09.- Integrarse adecuadamente en equipos multidisciplinares y en contextos culturales diversos. CT10.- Liderar y gestionar grupos de trabajo.	•Temporalización del proyecto. •Reuniones periódicas mensuales con objetivos. •Asignación de tareas entre los miembros del equipo
CT03.- Solucionar problemas y tomar decisiones que respondan a los objetivos del trabajo que se realiza. CT15.- Trabajar de forma autónoma y valorar la importancia de la iniciativa y el espíritu emprendedor en el ejercicio profesional.	•Análisis de propuestas para la ejecución de la instalación
CT04 .- Utilizar eficientemente las tecnologías de la información y la comunicación.	•Trabajo en entornos colaborativos a través de Google Drive

	Implementar el perfil en Instagram y generación de contenidos para dicho perfil
CT05 .- Comprender y utilizar, al menos, una lengua extranjera en el ámbito de su desarrollo profesional.	• Edición de contenidos en Internet en lengua inglesa, así como el visionado de algunas de las series en versión original.
CT11.- Desarrollar en la práctica laboral una ética profesional basada en la apreciación y sensibilidad estética, medioambiental y hacia la diversidad. CT17.- Contribuir con su actividad profesional a la sensibilización social de la importancia del patrimonio cultural, su incidencia en los diferentes ámbitos y su capacidad de generar valores significativos. CT16.- Usar los medios y recursos a su alcance con responsabilidad hacia el patrimonio cultural y medioambiental.	• Desarrollo del proyecto final. • Presentación del proyecto en clase..
CE.5. Adecuar la metodología y las propuestas de diseño a la evolución tecnológica e industrial propia del sector CE.6. Fundamentar el proceso creativo en estrategias de investi-gación, metodológicas y estéticas.	Presentación de contenidos y entradas generadas por el alumnado evidenciando los cambios experimentados por el sector a partir del análisis de los vestuarios de las series. Genaración de propuestas creativas a partir del diseño de los vestuarios de las series.

Fuente: elaboración propia.

Referencias bibliográficas

ACESEA (2012). Las enseñanzas artísticas en el espacio europeo de educación superior. Situación y perspectivas. Recuperado de: http://www.profesionalesdanza.com/en/documentos/documento_de_trabajo_jornadas_acesea.

Anduiza E., Crespo I., y Méndez, M. (2009) Metodología de la Ciencia Política. Madrid: CIS.

Castro, R. (1969). Incorporación de los conservatorios o escuelas superiores de música a la universidad. Cuadernos de actualidad artística, 6, 42-52.

Decreto 111/2014 de 8 de julio, por el que se establecen las enseñanzas artísticas superiores de diseño en Andalucía. Boletín Oficial de la Junta de Andalucía de 4 de agosto de 2014, nº 150. Recuperado de: https://www.juntadeandalucia.es/boja/2014/150/

Gallego D. J., y García Diego, Mª C. (2012). Los estilos de aprendizaje en la formación inicial del docente. Revista Estilos de Aprendizaje, nº9, Vol 5, Abril de 2012.

Lemes, F. L. (2012). Antecedentes sobre la ordenación de las enseñanzas artísticas superiores en España. En ACESEA (Ed.) Las enseñanzas artísticas en el espacio europeo de educación superior. Situación y perspectivas, 7- 20. Recuperado de: http://www.profesionalesdanza.com/en/documentos/documento_de_trabajo_jornadas_acesea

Nuñez, L. (2008) Pedagogía emocional: una experiencia de formación en competencias emocionales en el contexto universitario. Revista Cuestiones pedagógicas, 2008, pp. 65-80. Sevilla: Secretariado de Publicaciones Universidad de Sevilla

Maldonado, M. (2008) Aprendizaje basado en proyectos colaborativos. Una experiencia en educación superior. Laurus, 14, (28).

Marín, J.M. y Torrent, R. (2016) Breviario de Diseño Industrial. Función, estética y gusto. Madrid: Cátedra.

Marzal, R. (2012). Las enseñanzas artísticas superiores en el sistema educativo general. Revista, Justicia administrativa, 57, 43-74.

MECD (2003). La integración del sistema universitario español en el Espacio Europeo de Educación Superior. Madrid: Ministerio de Educación, Cultura y Deporte. Disponible en: http://www.eees.es/pdf/Documento-Marco_10_Febrero.pdf

Orden ECD/65/2015 de 21 de enero, por la que se describen las relaciones entre las competencias, los contenidos y los criterios de evaluación de la educación primaria.

Pearson, K. (1892) The Grammar of Science, Londres: J.M. Dent & Sons Ltd.

Real Decreto 1614/2009 de 26 de octubre, por el que se establece la ordenación de las enseñanzas artísticas superiores reguladas por la Ley Orgánica 2/2006, de 3 de mayo, de Educación. Disponible en: https://www.boe.es/eli/es/rd/2009/10/26/1614

Vieites, M.F. (2016). Las enseñanzas artísticas superiores y el Espacio Europeo de Educación Superior en España. Una lectura crítica. En Revista Complutense de Educación. Vol. 27 Núm. 2 (2016) 499-516. ISSN: 1130-2496.

Este libro se terminó de elaborar en noviembre de 2019
en la ciudad de Sevilla, bajo los cuidados de
Francisco Anaya, director de Ediciones Egregius.